Bibliotheek Geuzenveld
Albardakade 3
1067 DD Amsterdam
Tel.: 020 - 613.08.04

MOEDERS JEUGDLIEFDE

J.F. van der Poel

Moeders jeugdliefde

CITERREEKS

Eerste druk 2005

© 2005, Uitgeverij De Groot Goudriaan, Kampen
Omslagillustratie Jack Staller
Omslagontwerp Van Soelen, Zwaag
ISBN 90 5977 109 5
NUR 344

NAMEN VAN PERSONEN IN DIT BOEK:

Fia Rinse	vrouw van Thomas
Thomas Rinse	man van Fia
Wil Rinse	dochter van Fia en Thomas
Tom Rinse	zoon van Fia en Thomas
Wibe Lans	jeugdvriend van Fia
Boer Hendriks	oude vriend van Thomas' vader
Anja Terloop	vriendin van Tom
Sander Terloop	vader van Anja
Maria	zusje van Fia
Janna	vriendin van Fia

1

Fia kan die nacht niet slapen. Haar zoon Tom is nog steeds niet thuis. Ze kijkt op haar wekkerradio, het is al kwart over twaalf, zondag inmiddels. Haar man Thomas heeft haar naar boven gestuurd om te gaan slapen. Soms komt Tom voor twaalf uur thuis, maar het is nu weer mis. Thomas heeft hem gewaarschuwd, dat het afgelopen moet zijn en dat hij voor twaalf uur binnen moet zijn.

Het zal wel weer ruzie worden als hij straks thuiskomt. Ze kan zo niet slapen en wacht tot ze zijn auto hoort. Ze hoort stemmen beneden en kan het in bed niet meer uithouden. Ze hoort haar man tekeergaan tegen Tom.

'Pa, doe toch gewoon,' zegt Tom, die nogal rustig van aard is.

'Ik gewoon doen!'

'Ja, ik ben geen kind meer. Waarom gaat u niet gewoon naar bed? Ik ben eenentwintig geweest en maak zelf wel uit hoe laat ik thuiskom,' zegt Tom die zijn jack ophangt in de hal en naar boven wil gaan. Dan ziet hij zijn moeder op de trap staan in haar nachtjapon.

Fia kijkt haar zoon bedroefd aan en knikt tegen hem.

'Jullie kunnen toch rustig gaan slapen? Waar maken jullie je druk om?'

'Dat weet je heel goed, jongen...' zegt Fia zachtjes.

'Het is net twaalf uur geweest. Jullie zitten gewoon te wachten om mij te betrappen,' zegt Tom wat fel.

'Je weet heel goed dat het zondag is en dat dit niet kan. Wij hebben afspraken in ons gezin!' schreeuwt Thomas kwaad terwijl hij voor Tom gaat staan.

Fia pakt haar man bij zijn arm en zegt: 'Laten we nu naar bed gaan en gaan slapen. Morgen moeten we op tijd in de kerk zijn.'

'Daar draait het allemaal om bij jullie.'

'Hoe bedoel je dat?' vraagt zijn vader.

'Voor twaalf uur binnen en morgen op tijd in de kerk,' antwoordt Tom die nogal wat gedronken heeft zoals meestal op zo'n avond.

'Je stinkt naar alcohol en hebt te veel gedronken. Waar ben je geweest?'

'Ach pa... u bent toch ook jong geweest,' lacht Tom.

'Ja, ik ben jong geweest en je moeder ook. Wij moesten het niet proberen om midden in de nacht thuis te komen en daar zijn wij onze ouders dankbaar voor.'

'Jullie zijn veel te streng opgevoed, maar daar kan ik niks aan doen. Het is mijn leven en ik maak zelf wel uit hoe laat ik binnen ben. De meesten van mijn vrienden zitten nu nog aan de bar hun pilsje te drinken. Ze lachen mij uit als ik al zo vroeg naar huis ga en mijn vriendin daar achterlaat. Jullie kennen het leven van tegenwoordig niet. Ik ben een volwassen man en wil mijn eigen leven leiden en laat mij geen schuldgevoel aanpraten,' zegt Tom.

'Wij gingen vroeger tegen acht uur de deur uit en hingen niet rond in een kroeg of disco.'

'Pa, ik heb andere vrienden dan die watjes van de kerk. Ik zie mij al de hele avond tafeltennissen of sjoelen in het clubgebouw van de kerk. Die tijd heb ik gehad. Vroeger ging ik daar nog weleens heen en dronk mij vol met cola en at mij dik aan gevulde koeken. Maar dat is voorbij,' lacht Tom wat schamper.

Thomas gaat opnieuw voor zijn zoon staan en begint te beven van woede. Hij kan er niet tegen dat zijn zoon zo tegen hen praat en dan ook nog met zo'n glimlach op zijn gezicht.

Fia pakt haar zoon bij de arm. Ze is bang dat haar man te ver gaat, nu hij niet meer uit zijn woorden kan komen en met gebalde vuisten en een wilde blik in zijn ogen naar Tom kijkt.

'Het kan nu wel weer. Vooruit, naar boven jij… morgen praten we wel verder.'

'Niks morgen!' schreeuwt Thomas dan tegen zijn vrouw.

Tom wil zich omdraaien om naar boven te gaan, maar Thomas pakt zijn zoon stevig bij zijn arm.

Tom rukt zich los en zegt: 'Pa, handen thuis! Je hebt te maken met een man van eenentwintig jaar.'

'Dat maakt niet uit; zolang jij onder ons dak woont, maak ik uit hoe laat je thuiskomt en zeker als jij je volgiet met alcohol en op zondagmorgen thuiskomt. Je weet heel goed wat onze normen hier zijn. Met Wil hadden we nooit problemen, toen ze zo oud was als jij. Maar jij gaat de verkeerde kant op. Je hebt verkeerde vrienden!' schreeuwt Thomas opnieuw tegen zijn zoon.

'Nee pa, het zijn alleen geen vrienden van de kerk, daar heeft u gelijk in en ik heb jullie al gezegd dat ik zelf mijn vrienden kies en dat echt niet jullie of de kerk laat doen. Het is mijn leven,' antwoordt Tom met stemverheffing.

'Dus jij hebt een vriendin?' vraagt Fia dan voorzichtig.

'Ja…'

'Heb je verkering met haar?'

'Zo kun je het wel noemen,' lacht Tom weer met dat schampere lachje.

'Gaat ze naar de kerk?' vraagt Thomas gelijk.

'Nee, hoezo?'

'Hoezo!?'

'Ja… waarom zou mijn vriendin naar de kerk moeten gaan?'

'Omdat dat belangrijk is, jongen.'

'Ach, jullie leven in een heel andere wereld.'

'Nee jongen, jij leeft in een heel andere wereld, maar wij hebben in de kerk beloofd onze kinderen godzalig op te voeden en daar staan wij voor!'

'Wel ja… haal God er ook nog bij. Jullie mogen blij zijn dat ik elke zondag nog naar de kerk ga, al zal dat niet zolang meer duren en zeker niet als jullie mij elke zaterdag of zondag op staan te wachten als ik na twaalf uur thuiskom.'

'Dus je bent van plan niet meer naar de kerk te gaan?'

'Eerlijk gezegd, nee. Jullie willen toch dat ik eerlijk ben, nou, dan zal ik het jullie maar gelijk vertellen. Ik heb een vriendin en bij haar thuis doen ze nergens aan. Dus is het voor haar moeilijk om met mij om te gaan omdat ik voor twaalf uur thuis moet zijn. Ze zit nu nog bij mijn vrienden aan de bar en ik ben voor jullie op tijd naar huis gegaan. Als ik met haar wil blijven gaan, dan kan ik haar niet meer zo behandelen.'

'Hoe bedoel je dat?' vraagt Fia.

'Dat ik voor haar gekozen heb en haar graag zelf thuis wil brengen.'

'Dus je hebt een meisje dat nergens aan doet en nu nog in de kroeg rondhangt?' vraagt nu ook Thomas wat geschrokken.

'Dat heeft u goed begrepen… ik houd van dat meisje. Zij begrijpt dat ik thuis geen moeilijkheden wil, maar ik kan zo niet doorgaan. Jullie zullen moeten aanvaarden dat wij de weekenden doorbrengen op onze eigen manier.'

'Hoe bedoel je dat?'

'Dat ik voor haar heb gekozen en niet voor de kerk en de normen die jullie erop nahouden,' antwoordt Tom terwijl hij de trap opgaat naar boven naar zijn kamer.

Thomas gaat in de kamer op de bank zitten en buigt zich voorover met zijn hoofd tussen zijn handen. Fia gaat zwijgend naast hem zitten en laat zich een zucht ontglippen. Ze legt haar hand op zijn knie en fluistert: 'Thomas... Thomas, het gaat wel weer over...'

Thomas schudt zijn hoofd en kijkt haar aan van opzij. Ze weet dat Thomas een gevoelig mens is en dit niet zomaar kan verwerken. Hij is een oprecht christen en houdt veel van zijn vrouw en kinderen, maar hij kan er niet bij als mensen er anders over denken en zeker niet wat het geloof betreft. Wat er in Gods Woord staat is hem heilig en hij probeert daar ook naar te leven en daarom heeft haar man het vaak moeilijk, op kerkelijk gebied, maar ook op zakelijk gebied.

Hij heeft het makelaarskantoor van zijn vader overgenomen en als makelaar in onroerend goed valt het niet mee om eerlijk te zijn. Hij raakt vaak klanten kwijt en heeft nog geen groot nieuwbouwproject. Hij wordt meestal niet gevraagd en heeft alleen wat huizen van particulieren in de verkoop staan. Het gaat niet zo goed met zijn makelaarskantoor. Hij is geen zakenman, en wilde vroeger altijd predikant worden, maar moest zijn vader opvolgen als enige zoon. Zijn vader was een echte zakenman en heeft een goed makelaarskantoor opgebouwd, hoewel zijn vader ook een eerlijk man was. Tegenwoordig gaat alles anders met grote projecten en moet je weleens een oogje dichtknijpen waar het de opdrachtgever en de projectontwikkelaar betreft en dat kan Thomas niet en daarom zit hij er meestal naast als het een groot project betreft.

Ook kerkelijk heeft Thomas het moeilijk, nu hij sinds enige tijd ouderling is. Hij houdt zich aan Gods Woord en dan kun je niet alles aanvaarden wat de meerderheid goedkeurt in een kerkenraad.

'Hoe moet het nu verder?' vraagt Thomas aan Fia, waar hij vaak een geweldige steun aan heeft zowel in geloofszaken als ook op zakelijk gebied.

'Je moet niet zo hard van stapel lopen en meer vertrouwen hebben. Wij moeten Tom de tijd geven. Hij heeft wel een meisje, maar misschien loopt alles heel anders dan wij denken. En bovendien... we kennen dat meisje niet eens.'

'Een meisje dat nu nog in de kroeg rondhangt terwijl haar vriend naar huis gaat omdat hij anders moeilijkheden met zijn ouders krijgt... nee, dat zal wel niet veel bijzonders zijn. Nee Fia... het is onze Tom van vroeger niet meer. Hij ging altijd trouw naar de catechisatie en heeft zelfs belijdenis gedaan van het geloof en nu ineens heeft hij een meisje dat nergens aan doet... nee, dit gaat mij te ver, Fia...'

'Toch moet je het aan de Heere God overlaten, Thomas.'

'Dat weet ik maar al te goed... we hebben onze kinderen ook veel in onze gebeden opgedragen aan de Heere God.'

'Zou dan de Heere God ook niet voor Tom zorgen als wij voor hem blijven bidden?'

'Je hebt wel gelijk... maar soms wordt het mij te veel... dit kan ik er echt niet meer bij hebben. Hij moet mijn opvolger worden in de zaak en dat zal moeilijk zijn voor hem als christen, maar als hij nu al zo denkt en zulke vrienden en een meisje heeft... nee, zo kan het niet... hij zal moeten veranderen.'

'Maar Thomas… jij moet toch weten dat wij dat zelf niet in de hand hebben en het bij de Heere neer moeten leggen.'

'Dat is wel zo… toch zijn wij tekortgeschoten tegenover Tom. Hij ging al vaker naar een kroeg of een disco… we hebben het te ver laten gaan.'

'Je hebt er toch vaak met hem over gesproken en hij is geen kind meer. Hij heeft gekozen voor dit meisje en heeft het er moeilijk mee. Het is heel flink van hem dat hij haar achterlaat in die bar bij zijn vrienden en probeerde op tijd thuis te zijn omdat hij aan ons dacht en ons geen verdriet wilde doen. Het is een goede jongen, dat weet je net zo goed als ik.'

'Toch heeft hij gekozen voor dat meisje. Voortaan wil hij haar naar huis brengen en gaat hij niet meer naar de kerk… dat zijn zijn woorden, Fia, vergeet dat niet.'

'Liefde kan een hart op hol brengen als je nog jong bent, Thomas.'

'Hij is een christen en is ook zo opgevoed en hoort niet in een kroeg rond te hangen.'

'Hij is eerlijk tegenover ons, Thomas. Je weet heel goed dat verschillende jongelui van onze kerk naar kroegen en disco's gaan, terwijl de ouders daar niks van weten of net doen alsof ze het niet weten. Anderen gaan op kamers wonen en gaan dan hun eigen weg. Ouders weten dan helemaal niet waar hun kind de weekenden doorbrengt.'

'Dat zijn uitzonderingen, Fia. En onze kinderen doen zoiets zeker niet.'

'Toch wel, Thomas… alleen, Tom is eerlijk en daar moeten wij voorzichtig mee omgaan en hem niet het huis uitjagen en hem ook niet op zichzelf laten wonen, dan gaat het zeker fout.'

Thomas staat op, steekt zijn armen omhoog en roept: 'Waarom nou juist onze zoon?'

'Laten wij voor hem bidden.'

Thomas knikt en gaat haar voor naar boven om naar bed te gaan. Het is al twee uur in de nacht.

Die morgen gaat alleen Thomas naar de kerk. Fia heeft voor de ontbijttafel gezorgd, maar heeft een vreselijke hoofdpijn.

Thomas is ouderling en kan niet thuisblijven, hoewel hij zich niet fit voelt na een nacht vol emoties. Tom blijft in zijn bed liggen, al heeft Fia hem gevraagd naar de kerk te gaan. Hij gaf geen antwoord, maar draaide zich om en ging verder slapen.

Als Thomas naar de kerk is en Fia de ontbijttafel heeft opgeruimd, gaat ze zich douchen en aankleden. Als ze daarna bij haar zoon om het hoekje kijkt, staart ze in een paar blauwe ogen.

'Ben je wakker?'

Tom knikt en gaat rechtop in bed zitten en kijkt op zijn wekkerradio.

'Goed geslapen?' vraagt Fia.

'Gaat wel... moest u niet naar de kerk?'

'Nee... ik had zo'n hoofdpijn en heb een paracetamol ingenomen. Het gaat wel weer.'

'Is pa alleen weg?'

'Ja...'

'Allemaal mijn schuld,' zegt Tom dan wat bedroefd.

Fia gaat op de rand van zijn bed zitten en vraagt: 'Is het serieus met dat meisje?'

'Ja...'

'Houd je van haar?'

'Anders ging ik niet met haar,' antwoordt Tom kort.

'Gaan jullie al een tijd met elkaar?'

'Bijna een jaar...'

'Dan had je daar weleens over kunnen praten.'

'Ziet u dat zitten met pa?'

'Waarom niet... je bent altijd eerlijk tegenover ons... komt het door dat meisje?'

'Wat?'

'Dat je andere vrienden hebt en naar een bar en disco's gaat. Vroeger had je vrienden van de kerk en ging je naar het clubgebouw op zaterdagavond.'

'Ik heb haar op school ontmoet. We konden gelijk goed met elkaar.'

'Waarom nam je haar niet mee naar het clubgebouw?'

'Ze moest erom lachen. Ze is wel een avond mee geweest naar een zangdienst van de kerk, maar daarna zijn we naar een bar geweest naar haar vrienden.'

'Heb je er vrede mee?'

'In het begin niet zo... nu wil ik liever met haar mee-gaan.'

'Dat komt omdat je veel om haar geeft?'

'Ja... hoezo?'

'Heb jij daar je geloof in God voor over?'

'Ma... laten we daarover ophouden. Jullie weten niet waar je over praat. Anja is een lief meisje en wil niks met de kerk te maken hebben en zelf heb ik er geen moeite meer mee.'

'Dan zat het niet diep bij jou, jongen.'

'Dat zal dan wel niet.'

'Dus je zegt de kerk en je geloof in God vaarwel voor een meisje dat je een jaar kent?'

'Ma… liefde heeft niks met geloof te maken.'

'Toch wel, jongen…'

'Hoe kunt u dat weten?'

'Wat jij nu meemaakt… heb ik ook door moeten maken… ik hield veel van een andere jongen voor ik je vader leerde kennen. Mijn ouders waren ertegen en ik moest het uitmaken.'

'Dan heeft u niet echt van hem gehouden.'

'Toch wel… het was mijn jeugdliefde…' antwoordt Fia terwijl ze wat kleurt.

'Maar houdt u dan wel echt van pa?'

'Natuurlijk… het was mijn jeugdliefde en die gaat vanzelf over. Nu ben ik mijn ouders dankbaar… nu ik met jouw vader getrouwd ben…'

'Nee ma… voor de kerk en het geloof geef ik Anja niet op… echt niet. Als jullie mij ertoe dwingen, dan ga ik op kamers wonen… zeg dat maar tegen pa,' antwoordt Tom terwijl hij opstaat.

2

Diezelfde zondagmorgen, als Thomas uit de kerk komt in zijn zwarte pak, vindt hij zijn zoon nog aan het ontbijt in de keuken.

'Dus zo ver zijn we al,' zegt Thomas, terwijl hij zijn jas uitdoet en tegenover zijn zoon gaat zitten met zijn kraakheldere overhemd en zwarte stropdas, terwijl Tom rustig een stukje brood naar binnen werkt en net doet of hij zijn vader niet ziet en niet hoort.

'Schaam jij je niet?' vliegt Thomas dan op.

Tom kijkt zijn vader rustig aan en haalt zijn schouders op.

'Wel het brood eten van deze wereld, maar geen honger naar het brood des levens!'

'Ging daar de preek over?' vraagt Tom heel nuchter.

'Jij bent een ondankbaar schepsel en hebt geen ontzag voor je ouders, snotneus!'

Tom staat op en gaat recht tegenover zijn vader staan. Ze zijn even groot. Hij kijkt zijn vader rustig in de ogen en vraagt: 'Waar moet ik ontzag voor hebben?'

'Voor je ouders, die je groot hebben gebracht met zorg en liefde!'

'Het spijt mij, pa, maar ik weet niet waar u het over heeft.'

'Nee, jullie begrijpen tegenwoordig niet meer wat ontzag en liefde en dankbaarheid voor je ouders is. Jullie zijn verwende kinderen en worden nooit zelfstandig!' schreeuwt Thomas tegen zijn zoon.

Tom draait zich om, loopt de keuken uit en gaat de trap op naar zijn kamer.

Zijn vader gaat de kamer in waar zijn vrouw de koffie heeft klaarstaan. Ze ziet aan het gezicht van haar man dat hij kwaad is. Ze hoorde hem tekeergaan tegen haar zoon en vraagt: 'Moet dat nou op zondagmorgen?'

'O... dus jullie weten toch nog wel dat het zondag is,' antwoordt Thomas, terwijl hij in zijn stoel gaat zitten.

'Thomas, doe nu eens wat rustig aan,' zegt Fia terwijl ze hem een kop koffie aangeeft en een plakje cake.

'Rustig... jullie denken alleen maar aan jezelf en beseffen niet wat er ons boven het hoofd hangt als God ons niet behoedt!'

'Je moet niet zo zwaarmoedig zijn...'

'Jullie hebben allemaal makkelijk praten en geen gevoel in jullie lijf!'

'Je weet niet wat je zegt, Thomas.'

'Dat weet ik heel goed. Als jullie dat wel hadden, dan waren jullie niet thuisgebleven terwijl God ons roept naar Zijn gebedshuis.'

'Je weet dat ik vanmorgen een vreselijke hoofdpijn had en dus niet kon gaan.'

'Het is beter met hoofdpijn te gaan dan thuis te blijven. Wat zal het worden als iedereen er zo gemakkelijk over gaat denken?'

'Maar Thomas... Thomas, ik ga toch elke zondag trouw naar de kerk,' snikt Fia die overstuur raakt nu haar man weer zo'n driftbui heeft, die hij de laatste tijd steeds meer krijgt omdat het niet goed gaat met de zaak.

'Welja... begin ook nog medelijden met jezelf te krijgen.'

'Maar Thomas... waarom doe je zo onredelijk... ik was vanmorgen echt niet in orde.'

'Dan hoor je nog in de kerk te zitten. Zondaars horen in

de kerk en niet rustig hier een kop koffie zitten te drinken. Als je geloof oprecht is tegenover God, dan kon je hier niet rustig in huis zitten!'

Fia veegt haar tranen weg en antwoordt met zachte stem: 'Je zult wel gelijk hebben... in het vervolg zal ik eraan denken...'

'Het is allemaal de schuld van die zoon van je.'

'Laten wij daar nu niet meer over praten, Thomas... want Wil en haar man met de kinderen komen eraan,' zegt Fia terwijl ze snel haar tranen droogt.

'Die zaten in de kerk, daar kunnen jullie een voorbeeld aan nemen.'

'Maak nou geen ruzie als zij er zijn, Thomas,' smeekt Fia haar man.

Thomas geeft geen antwoord maar pakt de krant.

'Zo... hallo...' zegt Wil voorzichtig als ze in de gaten heeft dat het weer eens mis is thuis.

De kinderen vliegen oma om de hals en lopen dan naar hun opa. Een van hen slaat opa de krant uit handen.

'Denk erom, jij!' zegt Thomas terwijl hij goedemorgen zegt tegen de anderen.

'Goede preek, hè pa,' zegt zijn schoonzoon.

'Wat doen we ermee, jongen?' antwoordt Thomas kort.

'We zijn weer opnieuw gewaarschuwd,' antwoordt zijn schoonzoon die weet hoe hij met zijn schoonvader om moet gaan.

'Ja jongen, dat mag je wel zeggen. Maar er zijn mensen die de zondagdienst over durven te slaan, terwijl het zo goed is te horen wat God ons te zeggen heeft na een week zondig te hebben geleefd.'

'Ach pa... doe niet zo zwaarmoedig,' zegt Wil die aan

het gezicht van haar moeder ziet dat ze gehuild heeft.

'Zwaarmoedig... kind, je weet niet waar je over praat. De mensen denken dat ze het leven in eigen hand kunnen houden en dan ook nog dat God het wel zal vergeven,' antwoordt Thomas kort.

'Hou nou maar eens op met dat gepreek,' zegt Wil.

'Oma... oma, waar is oom Tom?' vraagt een van de kleintjes.

'Die ligt zijn roes uit te slapen van gisteravond, of vannacht kan ik beter zeggen,' antwoordt Thomas.

'Is Tom ziek, ma?'

'Nee... hij voelt zich wat moe,' antwoordt Fia.

'Zeker nachtwerk geworden,' lacht hun schoonzoon.

'Daar moet je niet om lachen,' zegt Wil.

'Ach, die jongen heeft verkering heb ik gehoord van een collega op mijn werk,' zegt hun schoonzoon dan met een glimlach op zijn gezicht.

'Dat heb je mij nooit verteld,' zegt zijn vrouw.

'Waarom zou ik?'

'Het is wel zo aardig als ik weet met wie mijn broer verkering heeft.'

'Dat is niet veel bijzonders,' antwoordt haar man.

'Ken ik haar?'

'Zeker weten.'

'Wie wordt mijn schoonzus? Zeg op, man!' zegt Wil fel.

'Nou ja... ik weet niet of je ouders het al weten?'

'Nee, niet precies,' zegt Thomas nu ook wat nieuwsgierig.

'Ze heet Anja... ze doen thuis nergens aan. Haar vader heeft vroeger bij de gemeente gewerkt en liep toen achter de vuilniswagen,' zegt hij wat neerbuigend.

'Die mensen moeten er toch ook zijn. Die man wil nog werken en het is erg belangrijk werk. Wat zou het een troep overal zijn als zulke mensen er niet waren,' zegt Wil die erg sociaal gevoelig is.

'Nou ja… ik bedoel dat het niet veel bijzonders is.'

'Omdat haar vader bij de gemeente heeft gewerkt?'

'Nee… dat niet; hij zit tegenwoordig trouwens in de handel, maar ze doen nergens aan en die Anja ziet er ook erg modern uit en zit vaak in de kroeg,' antwoordt hij wat voorzichtig.

'Hoe kun jij dat allemaal weten? Je moet wel op je woorden letten,' zegt Wil.

'Die man die bij mij op kantoor werkt, kent die familie goed en Tom kent-ie ook. Hij is van onze kerk en wilde mij waarschuwen.'

'Heb ik het niet gezegd? Nu praten de mensen van onze kerk er al over. Hoe kan ik nog ouderling zijn met zo'n zoon?' zegt Thomas driftig.

'Rustig, pa… Tom zal toch zijn eigen leven moeten invullen als hij van dat meisje houdt, liefde kun je niet dwingen,' zegt Wil oprecht.

Dan horen ze gestommel op de trap en komt een van de kleinkinderen de trap af.

'Waar ben jij geweest?' vraagt haar moeder.

'Bij oom Tom… hij doet spelletjes op de computer, dat mag toch niet op zondag?' zegt de kleine.

'Wat is dat… zit hij boven achter de computer en dan op zondag!' vliegt Thomas overeind.

'Ik ga wel… blijf jij maar hier,' zegt Fia terwijl ze snel opstaat en naar boven gaat.

Ze opent de deur van Toms kamer en ziet dat Tom druk bezig is achter het scherm van zijn computer.

'Maar Tom… dat doen we toch niet op zondag…' zegt zijn moeder geschrokken.

Tom kijkt zijn moeder aan en antwoordt: 'Volgens mij is daar niks mis mee.'

'Toch wel, Tom... zet hem nu maar uit en kom nou maar mee naar beneden.'

'Oké... jullie je zin,' antwoordt Tom terwijl hij zijn computer afsluit.

Fia gaat naar beneden, gevolgd door haar zoon.

Als Tom de kamer binnenkomt en de anderen goedendag zegt, kijkt zijn vader hem aan en vraagt: 'Was je met de computer bezig?'

'Ja, hoezo?'

'Weet jij het verschil niet meer tussen de zondag en doordeweeks?'

'Heeft een computer daar wat mee te maken?'

'Hoe durf je!?'

'Wat is daar verkeerd aan?'

'Als jij dat ding nog een keer op zondag aanzet, dan gooi ik hem het raam uit!'

'Ach pa... u bent zo ouderwets. Als zakenman moet u toch beter weten. Er zijn collega's van u die echt op zondag wel achter hun computer zitten om wat huizen te verkopen en zelfs bezichtigingen doen. Het is geen wonder dat uw zaak achteruitgaat. Een zakenman moet ook 's zondags op de hoogte blijven. U kunt toch beter voor predikant gaan leren. Op zondag mag de radio niet aan. Tv mogen we niet in huis hebben. De computer is onmisbaar en zeker internet, behalve dan op zondag. Allemaal flauwekul,' zegt Tom wat stoer.

'Je weet niet waar je over praat... jij... jij...' Thomas begint te stotteren als hij zijn zoon zo hoort praten. Hij moet dit overdag zo vaak horen van collega-makelaars en huizenkopers en -verkopers, dat doet hem pijn. Hij heeft met veel moeite een computer op zijn kantoor aangeschaft en ook internet, dat hij volop gebruikt anders loopt hij helemaal achter, maar dat zijn eigen zoon op zondag zulke dingen normaal vindt, dat gaat hem te ver. Hij wijst met zijn vinger naar zijn zoon en zegt: 'Heb jij een meisje dat elke dag in de kroeg zit!?'

'Dat wist u toch sinds vannacht? Ik heb u er toch van op de hoogte gesteld en er ook gelijk bij verteld dat ik zelf wel ongeveer weet hoe mijn leven eruit gaat zien?' zegt Tom kort terwijl hij naar de hal loopt en zijn jas aantrekt.

Zijn moeder gaat hem achterna tot bij zijn auto, pakt hem bij zijn arm en zegt: 'Tom, niet weggaan... je vader heeft het moeilijk... omdat zijn zaken zo slecht gaan... je moet geduld met hem hebben...'

'Nee ma... ik stik hier in dit kortzichtige gedoe!'

'Doe het dan voor mij, Tom,' snikt Fia.

'Nee ma... ik baal ervan.'

'Waar ga je heen, het is zondag?'

'Dat maakt voor mij niks meer uit.'

'Toch wel, jongen... je kunt nu nergens terecht.'

'Zeker weten van wel.'

'Maar...'

'Ma, u moet beter weten.'

'Hoezo?'

'U vertelde mij vanmorgen dat u uw verkering uit moest maken. Maar volgens mij had u beter met die ander kunnen trouwen.'

'Je weet niet wat je zegt, jongen. Het is je vader... wij houden van je en hebben het beste met je voor.'

'U wel, ja... met u kan ik gewoon praten net als met Anja. U past niet bij hem, u bent zo heel anders.'

'Jongen toch...'

Tom start de motor van zijn auto en rijdt weg, nagekeken door zijn moeder bij wie de tranen over de wangen lopen. Ze voelt een hand op haar schouder. Ze schrikt.

'Ma... trek het u niet aan. Hij komt wel weer terug. Tom is een goede jongen. Hij heeft het moeilijk en weet dat jullie dat meisje nooit zullen accepteren en zeker pa niet. Hij zal toch zelf moeten beslissen, daar heeft hij de leeftijd voor,' zegt Wil.

Dan komt ook Fia's schoonzoon naar buiten met Thomas en de kinderen.

Ze veegt snel haar ogen droog.

'Oma huilen?' zegt een van de kleintjes.

Fia geeft geen antwoord en gaat snel naar binnen.

'Pa... u moet niet alles zo letterlijk nemen van Tom. Hij meent het niet zo,' zegt Wil tegen haar vader als ze in de auto stapt.

Thomas geeft geen antwoord, draait zich om en gaat naar binnen, terwijl zijn dochter en schoonzoon met de kinderen wegrijden.

Als Fia en Thomas terug zijn in de woonkamer en Thomas in zijn stoel gaat zitten, kijkt Fia hem met roodbehuilde ogen aan en zegt: 'Heb je nu je zin?'

'Waar heb je het over?'

'Over je zoon... weet jij wel waar je mee bezig bent?'

'Dat weet ik heel goed. Je zoon zit op zondag achter zijn computer, waar zelfs onze kleinkinderen wat van zeggen. Hij gaat niet meer naar de kerk. Ons gezin wordt op de straat gebracht. Ze weten al te vertellen dat hij met een soort kroegmeisje gaat en haar vader is ook niet veel bijzonders.'

'Dat de vader vroeger bij de gemeente heeft gewerkt achter de vuilniswagen en nu in de handel werkt, vind ik heel knap van die man. Als ik jou was, zou ik maar voorzichtig zijn met oordelen... met onze zaak gaat het ook niet zo goed en dan kun je zelf naar ander werk gaan zoeken en wie weet wat voor werk je dan moet doen,' zegt Fia wat fel.

'Nooit... al zal ik mijn eigen zaak en huis moeten verkopen, dan nog niet!'

'Je weet niet wat je zegt. Die man heeft een goede baan en werkt nu voor zichzelf, net als jij. Hij verdient misschien wel meer dan jij. Het gaat niet goed in de makelaardij.'

'Klets niet zo dom, ik heb het al moeilijk genoeg.'

'Ja, jij hebt het altijd moeilijk, maar je denkt nooit aan ons.'

'Ik werk hard en eerlijk, als ik zou doen zoals anderen dan was ik zo rijk, maar ik ben liever rijk in de Heere.'

'Hou alsjeblieft op met dat vrome gepraat van je.'

'Daar schieten jullie in tekort.'

'Ik heb mijn zoon niet uit huis gejaagd en maak geen ruzie waar de kinderen bij zijn,' kaatst Fia terug.

'Zorg maar dat we wat te eten krijgen,' zegt Thomas, terwijl hij zijn krant pakt.

'Waarom lees jij op zondag de krant?'

'Wat bedoel je?'

'Volgens mij is dat net zo erg als dat je naar de radio luistert of zo.'

'Deze krant is op zaterdag gedrukt en het is een christelijke krant,' antwoordt Thomas verwonderd.

'Je hoort op zondag in je prekenboek te lezen,' zegt Fia ironisch.

'Dat doe ik altijd 's avonds, dat weet jij heel goed. Trouwens, nu je er toch over begint: het moet ook maar eens afgelopen zijn met die romans van jou.'

'Wat zeg je me nou... wil jij mij verbieden christelijke romans te lezen?'

'Het zijn allemaal fantasieverhalen en dik overdreven. Het is niet goed om die verhalen te lezen. Als ik de omslagen zie, dan weet ik al genoeg,' houdt Thomas vol.

'Ze zouden een goed boek over ons gezin kunnen schrijven met zo'n man en vader. Het zou weleens goed zijn als jij eens zo'n roman zou lezen,' zegt Fia fel.

'Ik wil die boeken niet meer zien in huis en die serie waar je lid van bent stuur ik een bedankbrief,' zegt Thomas dan.

'Meen je dat echt?'

'Ja, zulke boeken horen niet hier in huis. Het is allemaal werelds en onzin.'

'Het is vaak de werkelijkheid die in onze gezinnen leeft. Het is goed dat er zulke boeken zijn. Vroeger werden we dom gehouden. Nu is het bespreekbaar, ook voor onze kinderen. Je eigen dochter leest ze ook graag. Toen ze nog thuis was en op school zat, heeft ze ze vaak gebruikt voor haar spreekbeurten. Zoals over verslaving aan drugs en abortus en incest en weet ik niet allemaal. Jij, als ouderling, hebt daar geen weet van,' zegt Fia met tranen in haar ogen.

'Ach mens, je weet niet waar je over praat. Ga nou maar voor het eten zorgen.'

'Dat doe je vandaag zelf maar!' roept Fia terwijl ze de deur achter zich dichtsmijt en boven op bed gaat liggen. Daar laat ze haar tranen de vrije loop.

3

Fia is in slaap gevallen die zondagmiddag. Ze heeft een paar paracetamols ingenomen voor de hoofdpijn, die weer opnieuw de kop opstak. Ze is ver weg van het heden en keert terug naar het verleden: als jong meisje beleeft ze opnieuw het gebeuren van dertig jaar terug. Ze zit in een sportwagen met open dak. Een stevige gebruinde jongen met donker haar zit naast haar. Haar lange blonde haar wappert achter haar aan door de zoele wind. De jongen naast haar kijkt haar van opzij aan. Ze gaat tegen zijn schouder liggen en mompelt zijn naam. Hij kust haar onder het rijden.

Ze rijden een oprijlaan op en komen dan bij een groot landhuis. Ze stoppen voor de grote trap van het landhuis. Hij springt lenig over het deurtje van zijn sportwagen. Hij loopt naar de andere zijde van de rode sportwagen en opent het deurtje voor haar en pakt haar hand. Hij geeft haar een zoen onder aan de trap van het landhuis.

'Niet doen, joh...'

'Niet bang zijn, meisje van mij,' lacht de knappe donkere jongen met zijn bruinverbrande gezicht en het donkere haar dat zo keurig zit.

Ze lopen de trap op. Hij opent de deur met zijn sleutel.

'Kom binnen, nederige vrouw,' zegt hij galant.

'Nederig... ik wil niet nederig zijn, opschepper,' zegt ze vrolijk terwijl er een rimpeltje boven haar neus verschijnt.

'Dat moet je niet te veel doen, je hebt kans dat je dan al vroeg rimpels krijgt op je voorhoofd en dat zou jammer zijn voor zo'n knap jong vrouwtje,' plaagt hij.

'Toevallig ben ik heel wat jonger dan jij,' lacht ze vrolijk.

'Wat maken die paar jaar uit op een heel mensenleven?'

'Toch ben je bij mij vergeleken een oude kerel,' plaagt ze.

'Dat zal ik je dan eens laten zien,' zegt hij terwijl hij haar meetrekt naar binnen.

Ze komen in een grote hal met marmeren muren en er hangen schilderijen uit vervlogen tijden, met mannen die ernstig op haar neerzien.

'O, wat griezelig, die mannen op die schilderijen,' zegt ze met een gilletje.

'Ze zitten goed vast aan de muur, daar hoef je niet bang voor te zijn.'

'Maar ze kijken zo streng.'

'Later kom ik daar ook bij te hangen en dan lach ik vrolijk tegen jou.'

'Is dat allemaal familie van je?'

'Dat is ons voorgeslacht dat zich heeft laten portretteren.'

'Dus dat doe jij later ook?'

'Mij niet gezien...'

'Ga je later ook hier wonen?'

'Misschien, maar dan wel met jou. Zonder jou lijkt mij het leven te saai.'

'Dat zeg je zeker tegen alle meisjes?'

'Nee lieverd... je weet wel beter.'

'Nee, dat weet ik niet echt...'

'Dan zal ik het je bewijzen, schat.' Hij pakt haar stevig beet en zoent haar.

'Voorzichtig, man... je drukt mij bijna helemaal plat.'

'Je bent zo mooi en lief, dat zou erg jammer zijn.'

Ze lopen door de grote hal naar een van de kamers die rijk gemeubileerd is.

Het is een warme dag. Hij laat haar het landhuis zien. Ze heeft het vaak vanbuiten gezien, maar had nooit van haar leven kunnen dromen dat ze daar eens met deze jonkheer binnen mocht komen.

'Weet je zeker dat je ouders niet thuiskomen?'

'Zeker weten, schat.'

'Toch voel ik mij niet op mijn gemak...'

'Dan heb je een slecht geweten.'

'Die zegt wat... je ontvoerde mij zomaar naar jullie landhuis.'

'Nee schat... je stemde er zelf mee in. Ik heb het je uit oprechte liefde gevraagd.'

'Houd je wel echt van mij... ik ben maar een gewone boerendochter?'

'Voor mij niet, schat.'

'Hoe weet je dat nou... je kent vast wel meisjes, die net zo rijk zijn als jullie?'

'Het gaat niet om stand of afkomst en geld. Die tijd ligt gelukkig achter ons. Mijn ouders kunnen daar hele verhalen over vertellen van vroeger. Toen trouwde rijk met rijk en zo werden ze steeds rijker. Het ging toen niet om de liefde zoals nu bij ons.'

'Zouden je ouders mij wel goedkeuren?'

'Zij hebben niks te keuren. Ik wil jou en daar heeft verder niemand een stem in.'

'Dat had je gedacht.'

'Dus jij denkt dat ik je in de steek zou laten vanwege je afkomst?'

'Het zou kunnen...'

'Nooit lieverd... jij bent mijn liefde... nooit zal er een ander zijn...'

'Heb ik er zelf ook nog iets in te zeggen?' lacht ze vrolijk.

'Als jij niet van mij houdt, dan zal ik net zolang jou mijn liefde bewijzen totdat je van mij gaat houden.'

'Liefde kun je zelf niet maken, jongen...'

'Toch wel. Het is een geschenk uit de hemel en hecht twee mensen aan elkaar en een moet er eerst aan beginnen en dan springt de vonk van die liefde over naar die ander.'

'Wie heeft die vonk bij jou over laten komen?'

'Jij, schat... ik sta helemaal in brand door jouw liefdesvonk.'

'Doe niet zo overdreven. Ik kan wel merken dat je een echte jonker bent en ik maar een gewone boerendochter...'

'Dat heeft niks met stand te maken. Liefde werkt niet met standen of geld. Echte liefde komt uit het hart. Het is een groot goed en daar moet je zuinig op zijn en voorzichtig mee omgaan, schat,' antwoordt hij met een stevige zoen.

'Wil je wat drinken?'

'Ja graag...'

'Loop maar even mee naar de kelder, dan kun je zelf kiezen.'

'Kun je dat niet alleen?'

'Kom nou maar. Je zult het leuk vinden in zo'n kelder.'

'Zeker in zo'n akelige kelder.'

'Leuk joh.'

Hij pakt haar hand en opent een deur achter in het grote landhuis. Hij doet het licht aan en ze gaan dan een steile trap af.

'O... wat griezelig...'

'Niet bang zijn, je ridder staat naast je... ik zal je verdedigen tegen elke rat of muis die je aanvalt!' roept hij als een soort ridder met opgestoken hand alsof hij een zwaard in zijn hand heeft.

'Zijn hier echt ratten of muizen?'

'Het zou best kunnen. die beesten hebben ook recht op leven.'

'Wat een grote kelder, zeg, en al die rekken met flessen... is dat allemaal wijn?'

'Wat dacht je... kijk, verderop staan nog wat oude houten vaten van onze voorouders. Moet je die oude kraantjes eens zien op die vaten. Die doen het nog goed.'

'Zit daar nog wijn van je voorouders in?'

'Ja...'

'Echt waar... die is toch niet goed meer?'

'Volgens mij wel. Wij mogen er niet van drinken. Mijn vader vindt het zonde van zulke oude wijn.'

'Wat heb je er dan aan?'

'Die ouwe van mij is erg zuinig op zijn wijn. Alleen als er heel hoge gasten komen, mogen ze deze wijnkelder bezichtigen.'

'Maar ik dan?'

'Jij bent de hoogste gast die ooit in deze kelder geweest is,' zegt hij terwijl hij haar stevig vastpakt en heftig zoent.

Ze rukt zich los en zegt: 'Het is niet goed om tussen zoveel wijn te zijn.'

'Wijn versterkt de liefde van twee mensen en maakt verdrietige mensen vrolijk. Het staat ook in de Bijbel en Jezus maakte op een bruiloft van water ook wijn.'

'Dus je kent de Bijbel wel?'

'Of ik die ken. Een goed boek met veel wijsheden.'

'Maar jullie doen nergens aan?'

'Ho... ho, meisje, nergens aan doen is een beetje te cru gezegd en dat zeggen jullie kerkgangers nogal makkelijk.

Geloven en geloven zijn twee verschillende zaken. Jij gelooft van de Bijbel dat het Gods Woord is en moet er, als het goed is, twee keer voor naar de kerk om dat te horen. En die predikant geeft daar onderwijs en uitleg over zoals hij het beleeft.'

'Maar het is Gods Woord en daar mag je niks af of bij doen. Hoe denk jij dan over geloven?'

'Dat ik een schepsel ben van de Schepper en dus Zijn eigendom. Hij heeft ervoor gezorgd dat ik hier op aarde ben gekomen en Hij zal mij ook eenmaal weer van deze aarde wegnemen. Ik heb een lichaam van Hem gekregen met een levende ziel. Die ziel of geest, dat ben ik... hoe je het maar noemen wilt. Als ik jong of oud zal sterven, dan zal mijn lichaam tot de aarde weerkeren zoals ook in jullie Bijbel staat en mijn ziel tot Hem terugkeren.'

'Dat is wel een makkelijk geloof.'

'Dat is ook zo... waarom maken jullie er zo'n poppenkast van?'

'Laten we maar naar boven gaan, ik heb het koud,' antwoordt ze.

'Zal ik je eerst dan maar wat opwarmen, schat?' Hij pakt haar beet.

'Nee... niet doen, Wibe...'

'Eindelijk spreek je mijn naam uit.'

'Nou ja... ik ken je nog maar zo kort.'

'Fia... wat een naam... daar droom ik vaak van... Je bent zo mooi en je hebt mij zo gebonden door jouw liefde.'

'Wie zegt dat ik jou liefheb?'

'Dat zeg ik... zonder jou wil ik niet verder door het leven.'

'Je zegt nogal wat.'

'Dat meen ik echt, schat... kom, dan gaan we naar

boven. Wacht, dan neem ik een fles wijn mee die jij ook heerlijk zult vinden.'

'Wij drinken nooit wijn.'

'Toch wel...'

'Hoe weet jij dat nou? Mijn vader drinkt alleen jenever, dat is heel wat anders en soms krijgen wij weleens boerenjongens.'

'Dat wil ik beslist niet meer hebben.'

'Doe even normaal, dat is gewoon rozijnen met wat jenever.'

'O... echt waar, en dat noemen jullie boerenjongens? Ongelooflijk. Je kunt beter een wijntje van een jonkheer drinken, daar word je vrolijk van.'

'Nee... ik drink echt geen wijn.'

'Ze drinken het zelfs bij jullie in de kerk.'

'Wijn? Spot niet zo, man.'

'Aan het avondmaal wordt echt wijn gedronken in de kerk, dat is het bloed van Christus, heb ik gehoord.'

'Dat is heel wat anders en daar mag je niet mee spotten.'

'Dat doe ik ook niet.'

'Waarom ga je niet eens naar de kerk? Je weet er zoveel van?' vraagt Fia terwijl ze de kelder uit gaan.

'Wat is het hier lekker warm en wat kan het fris zijn in zo'n kelder, zeg.'

'Dat is toch lekker, op zo'n warme dag even in zo'n wijnkelder,' antwoordt Wibe.

Hij zet de fles met wijn op tafel en pakt twee glazen uit een buffetkast.

'Wat een mooie glazen, zeg... er staat een echt wapen op.'

'Dat is ons wapen... allemaal verleden tijd.'

'Zijn die glazen al zo oud?'

'Ja... er hebben al heel wat mensen wijn uit gedronken,

maar wees niet bang. We hebben tegenwoordig een vaatwasser.'

'Echt?'

'Jullie niet dan?'

'Wij zijn maar gewone boerenmensen en kennen zoiets nog niet.'

'Mijn vader komt veel in het buitenland en heeft zo'n ding hier laten plaatsen. Nu hoeft hij niet meer af te drogen. Handig hè?'

Wibe schenkt de glazen vol.

'Ik heb toch gezegd dat ik geen wijn drink.'

'Dit is geen sterke drank.'

'In wijn zit alcohol en zeker als het oude wijn is.'

'Proef nou eerst maar eens.'

Fia nipt een paar keer aan het glas. Het is heerlijke zoete wijn. Ze neemt dan toch maar een paar slokken.

'Smaakt goed, hè?'

'Gaat wel...'

'Dit is eigenlijk meer een vrouwendrankje, daarom heb ik deze voor jou meegenomen uit de kelder. Mijn moeder drinkt deze wijn vaak.'

'Ik krijg het er warm van.'

'Het is vandaag ook een warme dag. Heb je soms zin om nog wat te gaan rijden met mijn auto, lekker met open dak? Of zullen we op het terras gaan zitten in de schaduw?'

'Wat jij wilt...'

'Kom maar... en neem je glas mee,' zegt Wibe terwijl hij zijn eigen glas pakt en de fles wijn.

Hij opent de grote serredeuren en dan is daar een groot terras met stoelen en tafels. Hij zet de fles wijn op een van de tafels die in de schaduw staat en houdt een stoel voor haar gereed.

Ze zet haar glas op tafel en laat zich heerlijk in de zachte kussens van een van de tuinstoelen vallen.

'Wat is het hier mooi, zeg… wat een uitzicht,' zegt Fia verbaasd terwijl ze een slok wijn uit haar glas neemt.

'Wil je onze tuin zien?'

'Nou, tuin… je zult bedoelen: landgoed.'

Hij pakt haar hand en trekt haar overeind. Ze lopen dan hand in hand over het grote gazon naar de bosrand.

Als ze op een paadje lopen in het bos, dan stopt Wibe bij een van de bankjes. Hij legt zijn schone zakdoek op de bank en beduidt haar dat ze erop kan zitten.

'Anders wordt je prachtige jurk vuil. Je hebt wel smaak… zo'n bloemetjesjurk past echt bij je met die rode rozen…'

Hij schuift dicht tegen haar aan en voelt haar hart kloppen.

Hij drukt zijn lippen op de hare en omhelst haar. Ze geeft zich over aan zijn liefde. Bij haar begint nu ook die vonk te gloeien en ze noemt zijn naam: 'Wibe…'

Ze opent haar ogen en is terug in het heden uit het verleden door een zware stem. Er staat een man naast haar bed met een zwart pak aan die haar vraagt wat ze zegt.

'Nee… nee niks…' antwoordt ze nog wat in de war als ze haar man herkent in zijn zwarte pak.

'Gaat het weer een beetje… heb je nog hoofdpijn?'

'Het gaat wel…' Ze kijkt op de klok en ziet dat het al kerktijd is. Zal ze nog moeten gaan? Ze wil overeind komen, maar grijpt gelijk met haar handen naar haar hoofd dat hevig begint te bonken.

'Blijf maar liggen tot je je wat beter voelt. Ik ga naar de kerk. Het eten heb ik voor je in de koelkast gezet. Je kunt het zo opwarmen in de magnetron.'

'Heb je zelf eten gekookt?'

'Er lag nog een maaltijd voor twee personen in de diep-vries,' antwoordt Thomas.

'O...'

'Nou, dan ga ik maar...'

'Ja... een goede dienst...' antwoordt Fia zachtjes.

Als ze de auto hoort wegrijden, staat ze op en loopt naar de badkamer. Ze schrikt, als ze in de spiegel kijkt. Ben ik dat, na dertig jaar... het was allemaal zo echt. Het lijkt of ze het echt opnieuw beleefde... nu is daar het bedrog na dertig jaar... Ze is wat grijs geworden en heeft wat rimpels. Zei hij ook niet iets over rimpels in haar droom? Hoe kan ze nu zo over hem dromen... ze heeft er nooit zo'n last van gehad. Ze denkt wel vaak terug aan haar jeugdliefde, maar zo'n droom die op de werkelijkheid lijkt... nee... Zou het door Tom komen die een meisje heeft dat ook nergens aan doet en waar zij als ouders tegen zijn, vooral haar man? Zal Tom ook zijn liefde moeten opgeven, net als zij?

Ze wast haar gezicht een beetje en kamt haar haren.

Dan hoort ze iemand de trap opkomen.

Wie kan dat zijn? De kerk is toch al begonnen, of zou haar man terugkomen?

Ze opent voorzichtig de deur van de badkamer en ziet Tom zijn kamer binnengaan.

'Tom, ben je weer terug, jongen?'

'Ja...'

'Wat ben je van plan?'

'Ik kom mijn spullen halen, ik dacht dat jullie naar de kerk waren.'

'Maar je wilt toch niet zeggen dat je weggaat bij ons?'

Tom kijkt zijn moeder aan, zucht eens diep en antwoordt: 'Het gaat niet om u, ma, maar zo gaat het niet met pa.'

'Gaat het om pa of om dat meisje?'

'Alle twee. Pa verbiedt mij om met haar te gaan.'

'Hij bedoelt het goed met je, Tom.'

'Nee ma... hij begrijpt niet wat ik voel voor Anja.'

'Maar ik wel, jongen...'

'U kent haar niet eens.'

'Dat hoeft ook niet... als jij haar maar goed genoeg kent en zij jou, dat is toch belangrijker dan hoe wij erover denken?'

'U praat nu wel heel anders dan vroeger. Het moest toch een meisje uit de kerk zijn en het liefst van onze kerk.'

'Dat zou mooi zijn en niet alleen voor ons, maar ook voor jou.'

'Anja en haar ouders doen nergens aan en ik geef heel veel om haar.'

'Hoe staat het dan met jouw geloof? Denk jij, dat jij onze zelfde Tom zult blijven en je geloof niet zult verloochenen?'

'Nu praat u weer anders. Ik moet voor haar of voor de kerk kiezen.'

'Het gaat niet om de kerk, jongen, maar om jouw geloof in God... vergeet dat niet. Ook al heb je haar lief, God staat boven haar. Blijf nu voorlopig nog maar bij ons. Ik zal met je vader praten. Het komt heus wel weer goed. Je moet niet te hard van stapel lopen,' zegt Fia met betraande ogen.

'Goed, ma... ik zal het nog proberen, maar jullie moeten mij niet dwingen het uit te maken, dat kan ik niet...'

'Dat begrijp ik heel goed,' antwoordt Fia die zichzelf van zoveel jaar geleden terugziet in haar zoon.

4

Fia voelt zich de laatste dagen wat vreemd. Overdag kan zij haar gedachten nog wat ordenen, maar er zijn nachten dat ze slecht slaapt en vaak opstaat en slaaptabletten moet innemen om toch nog wat nachtrust te krijgen.

Ook deze nacht kan ze niet in slaap komen en gaat ze naar beneden. Ze neemt een paar tabletten paracetamol in en gaat in de donkere huiskamer zitten.

Wat is er de laatste tijd toch met haar? Steeds zijn daar die beelden uit het verleden. Zou het met de overgang te maken hebben? Ze hoort er weleens wat over van een kennis, maar die praat zo anders dan de mensen in de kring waar zij zich in bevindt. Daar praat men niet zo makkelijk over zulke dingen. Ze leest wel veel boeken en graag een roman en dan nog wel een liefdesroman of een roman met een thema, maar Thomas is er sterk op tegen. Hij noemt het kwaad en fantasie en men behoort in hun kringen niet zulke boeken te lezen. Als er bezoek komt, mogen zulke boeken niet openlijk in de kamer liggen of in de boeken-kast van haar man. Hun boekenkast staat vol met boeken over theologie en boeken met bekeringsverhalen van vroe-ger, maar niet met boeken over het leven van deze tijd. Haar dochter leest wel veel romans. Haar man is heel anders. Ze praat er vaak met haar dochter over, die vindt dat ze te bekrompen leeft. Ze krijgt dan weleens een roman van haar. Thomas heeft het lidmaatschap van een boeken-serie waar zij lid van was, opgezegd. Ze heeft er niks van gezegd. Het geeft niet. Haar dochter zorgt wel dat ze af en toe een roman krijgt. Ze hebben ongeveer dezelfde smaak. De jeugd van hun kerk denkt anders dan de ouderen over zulke boeken. Soms zijn de boeken alsof ze het zelf heeft meegemaakt. Het is vaak zo levensecht, zo'n roman...

Wat zit ze nu weer te suffen over romans... haar hele leven is een roman, een boek met vele vragen zonder antwoorden. Met wie kun je praten over zulke vragen? Men zegt al snel: je zit zeker in de overgang en dan ben je weleens wat in de war. Soms bloost ze als een puber. Toen ze jong was, kleurde ze ook snel en had ze weleens het zweet in haar handen staan. En ook later heeft ze er nog lang last van gehad. Er ging geen dag voorbij of ze kreeg wel een rood hoofd. Vaak om niks en dan werd ze uitgelachen. Ze zal dan ook nooit tegen een ander zeggen: o, wat kleur jij, zeg. Nee, ze weet dat het vaak pijn kan doen in je ziel. Het is een soort verlegenheid waar je zelf niet tegen kunt vechten en waar je ook met niemand over kunt praten. Het had dan juist het tegengestelde effect en je kleurde nog erger. Het lijkt zo onschuldig, maar ze was altijd bang voor vriendinnen die zelf nooit kleurden en wisten dat jij er snel last van had.

Toen ze met Thomas getrouwd was en er nog last van had, kon hij haar ook niet begrijpen en noemde het weleens een slecht geweten. Ze werd dan ook weleens kwaad op hem. Ze kreeg in het begin toen ze pas met hem getrouwd was en tegenover hem aan tafel zat soms zomaar een rood hoofd. Ze vluchtte dan maar snel naar de keuken en ging aan het werk. Hij plaagde haar er vaak mee. Ze kreeg dan weleens een huilbui en slikte in die tijd vaak rustgevende tabletten. Toen de kinderen kwamen ging het wat beter, hoewel ze er nooit helemaal vanaf is gekomen. Soms had ze een hekel aan zichzelf en wilde ze zo zijn als haar man, die altijd een uitgestreken gezicht had, waar je ook met hem over sprak.

Nu, in de overgang, komt het in alle hevigheid terug. Je kunt er wel iets voor krijgen, maar dat wil ze niet.

Wat heeft ze het vaak moeilijk gehad. Vooral toen zij haar eerste jeugdliefde ontmoette... nee... laat ze nu niet weer aan hem denken. Ze mag niet meer aan hem denken... als ze dat doet, krijgt ze nachtmerries of dromen die haar terugbrengen naar het verleden en dat is een afgesloten boek, dat mag ze niet elk moment weer openen. Het is nu eenmaal zo gelopen. Je kunt niet meer terug naar het verleden, al verlang je ernaar. Soms verlangt ze terug naar die droom, die ze op die zondagmiddag had toen ze ruzie met Thomas had. Met wie kun je daar nu over praten? Ja, met jezelf... Ze moet met zichzelf in het reine komen en weer gewoon de huisvrouw zijn, die voor haar man en kinderen zorgt. Toch kan ze dat niet. Ze ziet zichzelf de laatste tijd vaak terug in Tom. Ze zou zijn vriendin graag willen ontmoeten. Ze zou Tom zo graag willen helpen en zeggen: breng haar een keer mee naar huis, maar haar man wil er niks van weten. En zij wil niks met de kerk en het geloof te maken hebben. Ze weet wat het is als je geliefde door je ouders afgewezen wordt; als je echt verliefd bent op de verkeerde persoon volgens je ouders. Zij moest hetzelfde doormaken met haar eigen ouders en zij heeft haar ouders gehoorzaamd en maakte het uit met haar jeugdliefde om de vrede te bewaren en ook om een man te hebben die goed bevonden werd door haar ouders en de familie en niet te vergeten de kerk. Ze heeft een goede man gekregen. Thomas is goed voor haar. Hij houdt veel van haar en ze hebben een goed huwelijk, twee gezonde kinderen en een eigen huis.

Thomas' vader had een makelaarskantoor. Ze hadden het goed. Toen stierf Thomas' vader aan een hartaanval en moest Thomas de zaak overnemen. Het was een goedlopend makelaarskantoor. Ze leefden in hoge kringen... niet te vergeten in christelijke kringen. De dominee en zijn vrouw waren hun vrienden, net als veel christelijke zakenlui.

Het is allemaal zo anders tegenwoordig. Het gaat niet meer om gewone huisjes. Het draait nu om grote projecten. Zoals appartementen, die je kunt doorverkopen als makelaar via een projectontwikkelaar. Maar Thomas is geen man om grote zaken te doen en zeker niet met onchristelijke projectontwikkelaars. Ze merkt dat het niet goed gaat op het makelaarskantoor. Hij heeft zelfs al voorgesteld het meisje dat bij de receptie zit te ontslaan en dat zij weer, net als vroeger, bij hem op kantoor komt. Dat meisje moet haar dan wel eerst wat inwerken. Ze heeft er eigenlijk best zin in, maar het huishouden moet ook wel doorgaan, of ze moet hulp nemen.

Ze kan haar dochter daar ook niet voor vragen, die heeft twee handenbinders van kinderen. Thomas is ook geen man die haar in het huishoudelijk werk wat zou helpen. Hij heeft nog nooit een stofzuiger in zijn hand gehad en de tuin laat hij elke maand door een tuinman doen, wat ook veel geld kost. Er zijn zorgen genoeg. Wat zit zij dan te piekeren over vroeger... ze kan beter wat meer aan haar man denken en aan hun toekomst dan steeds weer terug te vallen in het verleden. Ze zal Thomas wat moeten helpen op zijn kantoor. Ze kan best met klanten omgaan. Vroeger deed ze het graag toen ze nog geen kinderen hadden, piekert Fia.

Ze wil opstaan om weer naar boven te gaan en in bed te

kruipen. De tabletten maken haar al wat slaperig en ze gaat wat positiever denken over de toekomst en wil niet meer denken aan het verleden. Het verleden heeft afgedaan, dat kun je niet meer terugdraaien. Ze moet aan de toekomst denken en meer begrip voor Thomas opbrengen, want het gaat niet goed met het makelaarskantoor als het zo door-gaat.

Als Fia opstaat, hoort ze de traptreden kraken. Ze gaat snel weer zitten in de donkere kamer. Ze is gewend aan de duisternis in de kamer.

Ze hoort dat er iemand naar de keuken gaat en de deur van de koelkast dichtdoet. Dan gaat de kamerdeur open en ziet ze in het licht dat in de keuken brandt, haar zoon staan met een blikje bier en een glas in zijn hand.

Ze knippert wat tegen het felle licht dat op haar schijnt.

'Ma... ma, wat is er met u?'

'Dat kan ik beter aan jou vragen,' antwoordt Fia.

'Kunt u niet slapen?'

'Nee...'

'Komt het door mij?'

'Natuurlijk niet... ik heb wat ingenomen voor mijn hoofdpijn.'

'Maakt u zich zorgen om mij, ma?'

'Nee, echt niet, jongen en jij... sta je weleens vaker op om wat te drinken?'

'Zo af en toe...'

'Kon je niet slapen?'

'Nee... niet echt...'

'Pieker je over dat meisje?'

'U bedoelt Anja?'

'Ja...'

'Nou ja...'

'Zijn er problemen?'

'Voor problemen moet je bij pa zijn.'

'Dat mag je niet zeggen, jongen.'

'U zit hier niet om wat hoofdpijn, dat maakt u mij niet wijs. Hij ligt zeker te snurken en weet van de prins geen kwaad,' zegt Tom wat kwaad.

'Je mag niet zo over je vader praten, want hij moet hard werken om zijn hoofd boven water te houden.'

'Dat heeft hij aan zichzelf te danken. Pa is gewoon geen zakenman. Een makelaar in deze tijd moet pit hebben en risico's durven nemen,' zegt Tom terwijl hij een slok bier drinkt.

'Je weet hoe je vader daarover denkt.'

'Dat is het nou juist. Als hij een nieuwe auto koopt, dan vraagt hij zich eerst af hoe de kerk daarover denkt,' spot Tom.

'Nu ga je te ver, Tom.'

'Het is gewoon zo, ma.'

'Wij zijn van een andere generatie en zijn wat voorzichtiger in de meeste dingen en je vader is al vijftig en dan denk je anders dan een jonger iemand.'

'Dat heeft er niks mee te maken. Ik ken lui op die leeftijd, die nog een zaak durven te beginnen.'

'Die hebben niks te verliezen. Wij hebben een kantoorpand en een eigen huis en dat willen wij ook graag houden.'

'Waarom nemen jullie dan geen hypotheek en een jonge makelaar op kantoor die pa kan helpen?'

'Ik ga zelf bij je vader werken. Hij zal dat meisje ontslag geven.'

Tom kijkt zijn moeder verbaasd aan en zegt: 'Zie je nou wel, dat u ook zijn zorgen moet dragen. Als het zo door-gaat, zit hij hier thuis en moet u de zaken regelen omdat hij te eigenwijs is om iemand op kantoor aan te nemen die weet wat zakendoen is,' zegt Tom kwaad.

'Als jij afgestudeerd bent, dan ben jij die man.'

'Mij niet gezien en zeker niet bij mijn vader.'

'Wat wil je dan gaan doen als je afgestudeerd bent?'

Tom kijkt zijn moeder aan, drinkt zijn glas leeg en vraagt: 'Wilt u ook wat drinken?'

'Het is al midden in de nacht. We moeten nodig gaan slapen.'

'Nee... wacht ik schenk voor u wat fris in en pak voor mijzelf nog een blikje bier.'

Als hij terugkomt uit de keuken en naast zijn moeder gaat zitten, zegt hij: 'Ma, ik studeer al een paar weken niet meer... het hoeft voor mij niet meer.'

'Dat meen je niet?'

'Toch wel, ma... ik wil geld verdienen, veel geld. De handel zit in mijn bloed.'

'Maar je hebt alleen maar havo...'

'Dat maakt tegenwoordig niks meer uit. Je moet gewoon slim zijn in de handel,' antwoordt Tom met een glimlach op zijn gezicht.

'Maar Tom, je moet aan je toekomst denken.'

'Dat doe ik ook.'

'Wat voor werk ga je dan doen?'

'Eigenlijk praat ik er liever niet over, want als pa het hoort, klimt hij gelijk in de hoogste boom.'

'Waarom doe je dan ook zo?'

'Het is mijn leven. Wat heb ik aan een studie als ik later zonder werk ben?'

'Je kunt toch bij je vader op kantoor gaan werken.'

'U weet wel beter. Wij denken veel te verschillend. U had het zelf over een generatieverschil en dat is met pa heel groot. Hij is zo ouderwets als maar kan. Er zijn maar weinig mensen die bij hem huizen in de verkoop willen.'

'Dat gaat wel veranderen,' antwoordt Fia.

'U denkt, als u bij hem op kantoor zit, daar verandering in te brengen. Dat lukt u nooit, zolang pa de baas is op kantoor.'

'Dus je gaat niet verder met je studie?'

'Nee... ik heb al werk.'

'Wat voor werk?'

'U moet er voorlopig nog niet met pa over praten... belooft u dat?'

'Nou ja... als ik vragen mag, heeft het ook met dat meisje te maken?'

'Dat heeft u goed geraden.'

'Daar was ik al bang voor.'

'Anja is een net meisje, maar een tikkeltje anders dan jullie. Ze is erg modern en vlot met haar mond. Wij passen goed bij elkaar, al zeg ik het zelf.'

'Houd je wel genoeg van haar om je studie voor haar op te geven?'

'Dat doe ik niet om haar. Ze heeft mij alleen maar wakker geschud en ook, niet te vergeten, haar vader.'

'Wat heeft haar vader ermee te maken?'

'Heel veel, hij is een goed zakenman.'

'Hij werkt toch bij de gemeente en heeft toch op een vuilniswagen gewerkt?'

'Dat is alweer jaren geleden. Hij handelt toch in alles wat vast en los zit.'

'Dan zal er wel een luchtje aan zitten.'

'Daar zult u wel die vuilniswagen mee bedoelen waar hij vroeger achter liep,' lacht Tom.

'Maar je kunt toch maar zo niet in de handel gaan, zonder diploma?'

'U bent nog ouderwets wat dat betreft en weet net zoveel van de handel af als pa.'

'Jouw opa en je vader zaten vroeger al in de huizenhandel.'

'Van opa vroeger zal ik niks zeggen. Toen ging het nog om gewone huizen. Het is jammer dat opa zo vroeg is gestorven en pa de zaak over moest nemen,' zegt Tom die vroeger als kind goed met zijn opa overweg kon en er toen nog wel wat in zag om ook makelaar te worden bij zijn opa en zijn vader.

'Waar handelt die man dan in?'

'Net wat ik zei: alles wat los en vast zit. Hij is begonnen met tweedehands auto's en verdiende er zoveel mee dat hij wat huizen kon kopen en ging die verhuren aan studenten en dat werden er steeds meer. Hij kocht huizen op en verkocht ze zo snel mogelijk weer door met winst en hij kocht ook grond op en verkocht die aan projectontwikkelaars en die lieten er appartementen op zetten. Hij kocht een rijtje huizen op en wist van iemand, die bij de gemeente werkte, dat die huizen gesloopt zouden worden en verkocht ze dus door aan een projectontwikkelaar met winst. Na een paar jaar kregen ze dan een bouwvergunning om er een groot kantoor op te zetten met appartementen erboven. Hij heeft een goudmijntje aangeboord. Je moet voor het geluk geboren zijn en natuurlijk erg slim zijn en dat is die ouwe van Anja. Hij bezit al heel wat panden, die hij verhuurt aan studenten en alleenwonenden,' legt Tom trots uit.

'Dus daar ga jij ook werken?'

'Zeker weten. Anja doet de administratie en ik ga haar daarmee helpen. Haar vader heeft geen verstand van al die papieren rompslomp. Hij kan nog geen computer bedienen. Alleen als het om handel gaat, is hij erg slim en weet hij er goed geld uit te slaan.'

'Laten we nu maar naar bed gaan… het begint buiten al licht te worden,' zegt Fia terwijl ze opstaat met een zucht.

'Zult u er voorlopig niet met pa over praten?'

'Nee, dat zal ik zeker niet doen. Hij heeft al genoeg aan zijn hoofd,' zegt Fia tegen haar zoon en gaat vermoeid naast haar man liggen die de slaap der gerusten slaapt alsof er geen zorgen zijn op de wereld.

5

Het meisje op het makelaarskantoor van Thomas Rinse heeft ontslag gekregen omdat zijn vrouw op kantoor komt werken. Ze is nog zo vriendelijk geweest om Fia in te werken. Vooral met de computer heeft ze in het begin veel moeite gehad. Nu werkt ze weer als een volleerd secretaresse aan de balie van het makelaarskantoor.

Makelaarskantoor Rinse is het oudste makelaarskantoor van het dorp en omgeving. Thomas' vader heeft het pand indertijd gekocht en is er een makelaarskantoor begonnen. Hij was een van de eersten van de vorige eeuw. Nu rijzen de makelaarskantoren als paddestoelen uit de grond. De concurrentie is zwaar en hard en dan zijn er nog die huisjesmelkers, die huizen opkopen en met flinke winsten doorverkopen aan projecthandelaren die dan weer een makelaarskantoor inschakelen. Dat zorgt weer voor een geldschieter, zodat er een sloopvergunning komt waarna er nieuwbouw komt of een hele nieuwe woonwijk met kantoren. Vooral de appartementen zijn erg in trek met daaronder winkels en kantoren. De meeste makelaars werken dan ook samen met een projectontwikkelaar.

Zo zijn er makelaars die goede zaken doen, vooral met de wat oudere mensen, die vroeger een huis durfden te kopen. Het waren vroeger maar kleine prijzen vergeleken met tegenwoordig, zeker nu met de euro. Alles is duurder geworden. Je kunt wel zeggen vanaf een pakje boter tot een huis. Zakenlui hebben door de invoering van de euro veel geld verdiend.

'Zeker weten,' zegt het boertje dat elke week koffie komt

drinken op het kantoor van makelaar Thomas Rinse. Hij vindt het maar wat fijn dat Fia weer terug is op kantoor, dan kunnen ze nog eens praten over die goede ouwe tijd toen je als boer nog wat bij kon verdienen door geld uit te zetten.

'Tegenwoordig gaan ze allemaal naar de bank om geld te lenen, dat was vroeger wel even anders,' zegt boer Hendriks.

'Daar heeft u goed geld aan verdiend,' antwoordt Fia die samen met hem een kopje koffie drinkt.

'Smaakt de koffie niet zo?'

'Tegenwoordig krijg je koffie uit die apparaten.'

'Smaakt ze dan niet?' vraagt Fia aan het boertje, dat ze al heel wat jaren kent.

'Nou ja... laten we maar zeggen dat het koffie is en dan heb je het ook gehad,' antwoordt Hendriks.

'U bent wel anders gewend bij moeder de vrouw.'

'Dat wel, ja.'

'Hoe gaat het met uw vrouw?'

'Mirakel goed... alleen, ik moet haar niet in de weg lopen, dan kan ze nog aardig mopperen op me. Ze is gewend dat ik nooit thuis was en op het land zat of zaken deed.'

'U moet vroeger wel veel geld verdiend hebben,' lacht Fia.

'Ach, het weegt niet op tegen nu. Als je vroeger een miljoen bezat, dan was je miljonair.'

'Nu nog, hoor.'

'Dat wel, maar vroeger was het meer waard dan die euro's en dat komt, omdat de prijzen overal de pan uit rijzen. Het is toch niet normaal. Ik kocht vroeger een huis voor vijfduizend gulden en verkocht het door voor zesduizend gulden. Toen gingen ineens de prijzen omhoog en toen hebben we behoorlijk wat geld verdiend door geld aan de mensen te lenen. Dat losten ze elke week af met een behoorlijke rente, mensen, dat was een goede tijd. Er was ook veel armoe onder de mensen, hoor. Ik hielp dan ook weleens mensen en kocht een huis voor ze en ze huurden het dan voor een klein prijsje. De mensen moesten toen hard werken voor een paar centen en bleven arm.'

'Maar de rijken werden steeds rijker,' vult Fia aan.

'Daar heb je gelijk in. Als je geld bezat, dan kon je nog wat bijverdienen. Soms kocht ik een heel blok huizen op; je verhuurde het een tijd en als het onderhoud te duur werd en de prijzen goed lagen, dan verkocht je het aan de mensen die er in woonden. Toen gingen er al veel mensen een eigen huis kopen en toen kwamen die zakenlui zoals jullie die ze makelaars gingen noemen. Ik heb nog zaken gedaan met je schoonvader. Dat was een gewiekst kereltje.'

'Ja... ik heb vroeger nog bij hem op kantoor gewerkt,' antwoordt Fia.

'Heb jij Thomas daar niet leren kennen?'

'Ja... dat is zo.'

'Volgens mij gaan de zaken niet zo best,' zegt Hendriks dan ineens.

'Hoe bedoelt u?'

'Jullie hebben niet veel huizen in de verkoop, als ik het zo bekijk, en jij moet ook al op je oude dag werken,' lacht het boertje.

'Dat wil ik zelf graag en zo oud ben ik nog niet.'

'Je hebt groot gelijk, dan kun je Thomas beter in de gaten houden, want die maakt er niks van.'

'Hoe bedoelt u?'

'Hij heeft geen pit, zoals zijn vader. Die had allang een

groot project te pakken gehad en wat appartementen te koop gehad. Jullie zijn stil blijven staan,' zegt het slimme boertje dat goed op de hoogte is van de huizenmarkt.

'Thomas is een eerlijk zakenman en werkt niet met mensen die er duistere zaken op nahouden,' verdedigt Fia haar man.

'Zo mag je niet praten. Die projectontwikkelaars kopen huizen op en grond en als er appartementen op die grond gebouwd worden, dan mag jij ze als makelaar verkopen. Moet het nog makkelijker gaan?'

'Zo makkelijk gaat dat echt niet.'

'Er zijn gewoon te veel makelaars en je hebt gelijk, er zitten ook verkeerde tussen die de boel kapotmaken voor eerlijke mensen.'

'Wilt u nog een kopje koffie?'

'Doe nog maar een bakkie uit dat apparaat en dan moet ik er echt vandoor. De vrouw wil altijd nog op tijd eten.'

'Ze heeft groot gelijk... alles op zijn tijd.'

De boer neemt een slok koffie en schuifelt wat op zijn stoel terwijl Fia de bestanden op haar computer nakijkt.

'Die dingen hadden ze ook nooit uit moeten vinden.'

'U bedoelt de computer?'

'Ja.'

'Toch makkelijk, hoor.'

'Vroeger zaten er bij jullie op kantoor wel tien van die meisjes en die deden alles met de pen en op de schrijfmachine en zo hadden ze allemaal werk. Die dingen nemen de mensen het werk af en zo gaat het met alles. Kijk maar naar de boer van tegenwoordig. Alles gaat vanzelf en wordt computergestuurd. Wat ben ik blij dat ik die goede oude tijd heb meegemaakt en geen last had van al die apparaten.

Wij hadden thuis een boerenknecht en we konden nog goed de kost verdienen. Nu moet de boer een hoge hypotheek nemen om de boel aan het draaien te houden,' legt het boertje uit.

Dan komt Thomas de trap aflopen.

'Hé... Hendriks... zit je nou nog hier?'

'Je bent toch niet jaloers?'

'Nee, hoor.'

'Volgens mij wel. Trouwens, je mag wel uitkijken met zo'n knap vrouwtje aan de balie.'

'Je bent nog steeds de oude.'

'Ja, je hebt gelijk. Ik word steeds ouder en jij ook.'

'Alles goed thuis?'

'Prima man. Je moet eens langskomen.'

'Je gaat je boerderij toch niet verkopen?'

'Nee, het bejaardenhuis moet nog even wachten. Trouwens, mijn zoon zit nu op het spul en wij wonen ernaast.'

'Ik moet even naar een bezichtiging. Ze wachten op mij,' zegt Thomas tegen zijn vrouw.

'Dat is goed. Heb je je mobieltje bij je zodat ik je kan bereiken?'

'Ja hoor,' antwoordt Thomas die met een koffertje de deur uit gaat en Hendriks groet.

'Nou zal ik ook maar opstappen.'

'Doe uw vrouw de groeten.'

'Dat zal ik zeker doen. Ik kom bij gezondheid van de week nog wel een keer langs,' zegt boer Hendriks terwijl hij naar buiten loopt en op zijn fiets stapt.

Er stopt een grote Jeep voor het pand van makelaarskantoor Rinse. Fia die door de glazen deur de jeep ziet staan ziet tot haar verbazing haar zoon eruit stappen.

'Goedenmorgen jongedame,' zegt Tom vrolijk als hij zijn moeder achter de balie ziet zitten.

'Hallo Tom...'

'Het staat u goed, hoor.'

'Wat bedoel je?'

'Nou ja, achter zo'n makelaarsbalie. Druk vandaag?'

'Gaat... je vader is naar een bezichtiging.'

'O... ik moet hem spreken. Weet hij dat ik bij Anja's vader werk?'

'Dat mocht ik toch niet doorvertellen?'

'Nee, dat is zo... denkt hij nog steeds dat ik naar school ga?'

'Ja. Het wordt tijd dat je je vader vertelt dat je bij Anja's vader werkt en niet meer naar school wilt.'

'Willen is wat anders. Het is gewoon zonde van mijn tijd. Nu verdien ik geld en heb ik een goede baan.'

'Papieren zijn altijd makkelijk als je een andere baan zoekt.'

'Nee ma, ik weet nu hoe je veel geld op een makkelijke manier kunt verdienen,' lacht Tom.

'Van wie is die Jeep?'

'Van Anja's vader.'

'Mag je die zomaar gebruiken?'

'Voor mijn werk.'

'Het is een duur ding.'

'Zelf rijdt hij een dikke Mercedes.'

'Zijn jullie zaken wel zuiver, kunnen ze het daglicht wel verdragen?' vraagt Fia.

'Ma... als je in de handel zit, dan moet je niet te kieskeurig zijn en goed je ogen de kost geven en je verstand gebruiken.'

'Ga je later echt niet bij je vader werken... hij rekent erop?'

'Hij kan amper de kost verdienen.'

'Toch ziet hij jou als zijn opvolger, Tom.'

'Dat zal helaas niet gebeuren. Zeker weten en zeker niet als hij zo door blijft werken.'

'Toch moet je open kaart spelen met je vader.'

'Daar kwam ik nu juist voor.'

'Dus je wilt met je vader praten?'

'Ja... het is te hopen dat hij een goede bui heeft.'

'Dat weet je maar nooit,' laat Fia uit haar mond vallen.

'U leert hem ook al aardig kennen,' lacht Tom.

'Zo bedoel ik het nou ook niet. Je vader heeft het moeilijk. De huizenmarkt ligt zo goed als stil, dat moet jij ook weten.'

'Daar hebben wij geen last van. We hebben een groot project opgekocht en er al een sloopvergunning voor. Nu nog een aannemer en een makelaar die mee willen werken.'

'Daar zal je vader zeker niet aan meewerken.'

'Hij heeft geen vertrouwen. Hij hoeft alleen die appartementen maar te verkopen, meer niet. Er zit voor hem geen enkel risico in.'

'Wil je daar met je vader over gaan praten?'

'Nee, dat niet... hoewel, als hij er zin in heeft, wil ik hem wel aan die appartementen helpen.'

'Reken er maar niet op. Waar kom je dan over praten?'

'Daar praat ik liever over als hij er zelf bij is. Het is niet niks.'

'Je doet wel erg geheimzinnig.'

'Dat is het ook,' antwoordt Tom ernstig.

'Je hebt toch geen moeilijkheden met de vader van Anja?'

'Nee, gelukkig niet.'

'Waarom breng je Anja niet een keer mee naar huis?'

'Ziet u dat dan zitten met pa?'

'Je kunt het toch proberen?'

'Ma, u weet toch dat ze niet naar de kerk gaat en dat ik
elk weekend met haar uitga. Pa is daartegen en ik wil geen
moeilijkheden met Anja.'

Dan gaat de voordeur open.

'O... ben jij het. Van wie is die Jeep?'

'Van mij...'

'Van jou... heb je die geleend? Of is jouw auto kapot of
in de garage en heb je deze meegekregen?'

'Nee pa... ik rijd er dagelijks in voor mijn werk,' antwoordt Tom eerlijk.

'Voor je werk?'

'Ja... we moeten even praten, pa.'

'Praten... waarover?'

'Nou ja... ik ga al een tijdje niet meer naar school en
werk voor Anja's vader...'

'Werk jij bij de gemeente? Je loopt toch niet samen met
hem achter de vuilniswagen?'

'Pa, u loopt wat achter. Anja's vader werkt al jaren niet
meer bij de gemeente. Ik heb je al eerder verteld dat Anja's
vader in de handel zit.'

'Dat zal dan niet veel bijzonders zijn.'

'Toch wel, pa, hij heeft hele goede relaties bij de gemeente.'

'Waar handelt hij dan in?'

'Hij is begonnen toen hij nog bij de gemeente werkte
met tweedehands auto's. Toen het goed liep is hij voor

zichzelf begonnen en kocht hij huizen op en verkocht ze weer door.'

'Dus zwart werk?'

'Zo mag u het niet zien, pa. Hij doet eerlijke zaken en heeft veel huizen opgekocht om te verhuren aan studenten en alleenwonenden. Hij verhuurt veel kamers. Nu heeft hij een groot project opgekocht en heeft de sloopvergunning al van de gemeente. Hij kan het zo doorverkopen aan een projectontwikkelaar om er appartementen op te bouwen. Als u zin hebt, kunt u ook meedoen. U mag dan die appartementen verkopen.'

'Nooit! Dacht jij dat ik met zulke mensen handel drijf!?'

'Rustig, pa... het hoeft niet. Ik wil alleen maar een suggestie doen.'

'Dus je bent zonder mijn toestemming van school afgegaan en gaat niet verder met je studie?'

'Nee pa...'

'Wist jij daar al van?' vraagt Thomas aan zijn vrouw.

Fia knikt alleen maar.

'Ma wist ervan en ik wilde het u zelf vertellen.'

'Maar dat gaat zomaar niet. Je gaat terug naar school, totdat je het makelaarsdiploma hebt. Begrepen?'

'Nee pa, dat gaat echt niet. Ik heb nu een goede baan en papieren zijn hierbij waardeloos.'

'Dat maakt die vuilnisman je zeker wijs!'

'Let op uw woorden, pa!' zegt Tom kort.

'Die man doet zaken die niet zuiver zijn en daar hoor jij niet thuis!'

'Toch wel, pa... u heeft hem misschien nog wel nodig als hier de hele boel op de schop gaat.'

'Wat wil je daarmee zeggen?'

'Die zogenaamde vuilnisman weet meer dan u.'

'Wat weet hij?'

'Dat hier alles volgens de nieuwe plannen van de gemeente weggeschoffeld wordt en er een winkelcentrum met appartementen erboven voor in de plaats komt.'

'Wie zegt dat?'

'Een slimme zakenman,' antwoordt Tom.

'Die slimme zakenman heeft zeker een grote fantasie.'

'Het is jammer voor u, dat het werkelijkheid gaat worden en als ik u was, zou ik maar proberen er goed uit te komen.'

'Dit zakenpand verkopen?'

'Zo snel mogelijk.'

'Waar heb jij het toch over? Wie kan mij dwingen hier weg te gaan? Toch zeker niemand!' roept Thomas hard en gaat de trap op naar zijn kantoor.

'Pa, luister nou eens een keer en probeer eens zakelijk te zijn.'

'Maak dat je wegkomt, snotneus!' schreeuwt Thomas van boven terug.

'Nou, dan moet hij het zelf maar weten. Hij kan zich er nu nog goed uitkopen.'

'Van wie komt dat verhaal dat dit gebouw hier weg moet?' vraagt Fia.

'Anja's vader heeft goede contacten op het gemeentehuis en heeft gehoord dat deze oude panden weg moeten voor een nieuw project. De gemeente is er al een tijdje mee bezig,' legt Tom uit.

'Als dat waar is, dan koopt de gemeente ons pand toch op?'

'Dat zou kunnen, maar tegenwoordig laten ze veel aan projectontwikkelaars over.'

'Dus Anja's vader wil deze panden opkopen en dan

doorverkopen aan projectontwikkelaars?'

'Zo loopt het vaak.'

'Maar als Anja's vader liegt en ons pand voor zichzelf wil kopen?'

'Nee ma… daar ken ik hem te goed voor.'

'Pa kan beter eerst eens met de gemeente gaan praten.'

'Dat heb ik al achter de rug van Anja's vader om gedaan.'

'En wat zeiden ze op het gemeentehuis?'

'Waar ik die onzin vandaan haalde.'

'Zie je nou wel dat die man niet deugt?'

'Toch wel, ma. Anja's vader liet mij een bouwtekening zien van de gemeente uit het gemeentearchief.'

'Hoe komt hij daaraan?'

'Dat zijn zaken waar hij niet over praat. Hij wil jullie alleen maar waarschuwen en helpen met de verkoop, zodat jullie er goed uitspringen.'

'Je bedoelt dat hij er goed uitspringt.'

'Daar is hij zakenman voor.'

'En je vader makelaar. Als wij hier weg moeten, dan kan je vader zijn zaakjes zelf wel regelen. Volgens mij zit jij daar niet goed bij die mensen.'

'Jullie geloven mij toch niet. Ik heb mijn best gedaan en verder bemoei ik mij er niet mee.'

'Dat zou ik ook maar niet doen. Je vader zal wel naar de gemeente gaan.'

'Dan krijgt hij hetzelfde antwoord als ik.'

'Dan is er ook niks aan de hand. Als de gemeente hier een nieuw winkelcentrum laat bouwen, dan zijn wij de eersten die het horen.'

'Dat zal best een keer gebeuren, maar dan is het meestal te laat en dan krijgen jullie de prijs die de gemeente ervoor geeft.'

'Dan zien we wel verder.'

'Oké... ik ga maar weer en doe pa maar de groeten. Hier heeft u een kaartje van Anja's vader waar zijn telefoonnummer en zo opstaat,' zegt Tom terwijl hij het kaartje op de balie voor zijn moeder legt, de deur uitgaat en wegrijdt met de grote Jeep.

6

Als op een zondagavond Thomas en Fia uit de kerk komen, zien ze een grote Jeep bij hen op de oprit staan.

Fia ziet het gezicht van Thomas vertrekken en kijkt hem aan.

Zonder iets tegen elkaar te zeggen gaan ze door de achterdeur naar binnen.

Er is niemand in huis.

Fia gaat bij de trap staan en roept: 'Tom... Tom, ben je boven?'

Na nog een keer geroepen te hebben ziet ze Tom boven aan de trap staan.

'O... zijn jullie al thuis?'

'Ja, kom je naar beneden?'

'Oké, ik kom eraan. Ik heb een verrassing voor jullie.'

Fia knikt en geeft geen antwoord.

Thomas gaat in de kamer in zijn stoel zitten, terwijl Fia met het eten begint. 's Zondags eten ze meestal soep met brood, dan hebben ze niet zo'n drukte op zondag.

Dan hoort Thomas voetstappen van de trap komen en staat even later Tom met een meisje in de kamer.

'Mag ik jullie voorstellen, dit is mijn vriendin Anja,' zegt Tom.

Thomas trekt wit weg. Hij ziet een meisje voor zich staan met uitgestoken hand. Hij schudt haar de hand en bromt wat, neemt haar van boven tot onder op en ziet dat ze helemaal in het zwart is: een lange broek die strak om haar lichaam zit met een zwart jasje en daaronder een zwart truitje. Ze heeft donker haar en dan dat knopje op haar neus; een piercing noemen ze zoiets.

Even later komt Fia de kamer binnen en ziet dat Tom daar staat met een meisje.

'O... Tom, is dat je vriendin?'

'Ja ma... dit is Anja,' zegt Tom die al genoeg weet als hij het gezicht van zijn vader ziet.

Fia loopt naar haar toe en geeft haar een hand en lacht wat nerveus tegen haar.

'Waarom kom je zo onverwachts en ben je met haar op je kamer?' vraagt Thomas die al wat van de schrik bekomen is.

'Wij dachten: laten we ze eens verrassen en jullie opwachten uit de kerk,' antwoordt Tom terwijl hij samen met Anja op de bank gaat zitten.

'Jullie hadden beter naar de kerk kunnen gaan en je fatsoenlijk kunnen aankleden voor de zondag,' antwoordt Thomas.

'Wat mankeert er aan onze kleding?' vraagt Tom terwijl hij zijn vader brutaal aankijkt en best begrijpt wat hij bedoelt.

'In onze kringen dragen we geen lange broek en zeker niet op zondag,' antwoordt Thomas kort.

'Wat is daar mis mee? U draagt toch ook een lange broek,' lacht Tom die leuk wil zijn.

'Je weet heel goed wat ik bedoel!' antwoordt Thomas nu kwaad, terwijl hij zijn zoon aankijkt.

'Als u liever heeft dat ik weer wegga, dan zegt u het maar,' zegt Anja die begrijpt dat ze niet in de smaak valt bij deze man in zijn zwarte pak met zijn kraakheldere overhemd en zwarte stropdas.

'Nee... nee, blijf maar zitten... mijn man bedoelt het niet zo. Wij zijn alleen gewend dat de meisjes rokken of jurken dragen. Het is eigenlijk Toms schuld, die had je dat moeten vertellen,' zegt Fia vriendelijk.

'Tom heeft niks met mijn kleding te maken en ik heb een hekel aan rokken en jurken,' antwoordt Anja beslist.

'Dan moet je dat zelf weten,' zegt Fia wat verlegen.

'Wat zijn jullie toch gastvrij, zeg. Jullie wilden dat ik haar een keer mee naar huis nam en nu heb ik dat gedaan en beginnen jullie te zeuren over kleding. Wat maakt het nu uit of een vrouw een broek of een rok draagt,' zegt Tom die voor zijn vriendin opkomt.

'Heel veel, jongen. Jij bent onze zoon en weet heel goed dat wij daar bezwaren tegen hebben en ook tegen zo'n knop op haar neus,' zegt Thomas nors.

'Pa... zo'n ding noemen ze een piercing en dat is hetzelfde als wanneer je oorbellen draagt of een ring. Het is gewoon een sieraad waaraan jullie niet gewend zijn.'

'Wat jullie buiten mijn huis doen, dat moeten jullie zelf weten, maar hier wil ik dat jullie je netjes gedragen, ook wat kleding betreft. Punt uit,' zegt Thomas driftig.

'Ach pa, u bent gewoon ouderwets en loopt achter en ik houd niet van dat achterbakse gedoe. Ik ken meiden van onze kerk die 's zondags een rok dragen en doordeweeks zie je ze met lange broeken. Met dat schijnheilige gedoe wil ik niks te maken hebben.'

'Wij hebben niets te maken met wat anderen doen.'

'U heeft ook niks te maken met wat mijn vriendin draagt,' antwoordt Tom fel.

'Laten we aan tafel gaan...' zegt Fia nerveus, bang dat het uit de hand loopt nu ze ziet dat haar man een erg rood hoofd krijgt en zich zo opwindt omdat Tom tegen hem ingaat. Zonder nog iets te zeggen gaan ze aan tafel.

Thomas wil voorgaan in gebed, maar als hij merkt dat

Anja haar handen niet heeft gevouwen en met haar armen over elkaar zit, vraagt Thomas: 'Bidden jullie thuis nooit?'

'Nee, waarom?'

'Dat zijn wij wel gewend hier.'

'Moet ik me dan aanpassen aan de normen die jullie erop nahouden?'

'Dat zou wel zo fijn zijn, ja,' antwoordt Thomas.

'Pa, hou nou eindelijk eens op met dat gezeur. Iedereen is vrij om te bidden en ook om niet te bidden en dat bidden wat u doet is ook maar een formeel gebed,' zegt Tom kwaad.

'Weet jij wel wat je zegt, snotneus?'

'Ja, dat weet ik... al dat gedoe met jullie geloof, dat ben ik zat!' schreeuwt Tom tegen zijn vader. Hij staat op, pakt Anja bij haar arm en zegt tegen haar: 'Laten we maar gaan. Als ze hun normen belangrijker vinden dan gastvrij te zijn, ga ik liever naar jullie huis waar het in ieder geval gezelliger is.' Anja volgt hem zonder iets te zeggen.

Fia loopt hen achterna en zegt: 'Tom, kom nou terug... pa is dit niet gewend. Je moet hem ook een beetje begrijpen. Hij weet niet anders en bedoelt het goed.'

'Laat mij niet lachen. Hij gedraagt zich schandalig tegenover Anja. Wat moet zij wel niet van jullie denken? Kom ik haar voorstellen en dan gaan jullie ruzie zitten maken over een lange broek en zo'n piercing... gewoon belachelijk. Hij moet eerst maar eens leren om met mensen om te gaan, en dat noemt zich ook nog een makelaar... een zakenman. Een makelaar uit de oude doos noemen sommigen hem en daar hebben ze nog gelijk in ook!' valt Tom uit tegen zijn moeder.

'Kom nou maar... jullie moeten niet weggaan. Ik zal vragen of pa zijn excuus aan wil bieden,' smeekt Fia die tranen in haar ogen heeft staan.

'Pa zijn excuus aanbieden? Hij weet niet eens wat dat woord betekent,' lacht Tom hardop. Tom trekt Anja mee naar buiten.

Dan blijft Anja ineens staan en zegt: 'Ik geloof dat je moeder gelijk heeft. Hij weet niet beter en ik ben niet echt kwaad op je vader en je moet ook rekening met je moeder houden, Tom.'

'Als hij nog een keer begint over kleding en zo, dan vertrek ik hier voorgoed uit huis,' antwoordt Tom terwijl hij samen met Anja en zijn moeder weer teruggaat en weer aan tafel gaat zitten zonder iets te zeggen.

Anja lacht vriendelijk tegen Fia. Ze heeft in de gaten dat zijn moeder niet zo stijf is en eronder moet lijden.

Thomas kijkt op zijn bord en zegt niets meer.

Als Thomas een gedeelte uit de Bijbel voorleest en daarna in dankgebed voorgaat, heeft Anja toch haar handen gevouwen. Ze begrijpt dat ze deze mensen pijn doet als ze tegen hun godsdienst ingaat, vooral de moeder van Tom.

Ze helpt de tafel afruimen en de vaat in de vaatwasser doen.

'U vergeet de vaatwasser aan te zetten,' zegt Anja behulpzaam.

'Op zondag doen wij dat niet...' antwoordt Fia met een wat nerveuze stem.

'Meent u echt dat dat zonde is?'

'Nou ja... op zondag verrichten wij zo min mogelijk werkzaamheden,' antwoordt Fia die alleen met Anja in de keuken is.

'Maar als u de vaatwasser aanzet, dan werkt u toch niet. U heeft alles er wel ingezet. Dan maakt het toch niet uit als u het er gewassen weer uithaalt?'

'Toch doen wij het liever niet op zondag. De zondag is voor ons een echte rustdag.'

'Dat begrijp ik nog wel, maar geen vaatwasser of radio en geen tv aan, dat gaat mij te ver. Doet u dit allemaal omdat uw man dat per se wil?'

'Hoezo?'

'U bent zo heel anders...'

'Nee dat niet... maar mijn man is wat strenger in die dingen. Toch ben ik het wel met hem eens,' antwoordt Fia eerlijk.

'Als u nou net als uw zoon vroeger een man had ontmoet die ook nergens aan zou doen en u hield van hem, wat zou u dan doen?'

Fia krijgt het warm bij deze vraag. Ze denkt terug aan haar jeugdliefde en kan niet zo snel een antwoord geven.

'U weet het ook niet, maar uw man zou het wel weten. Hij zou beslist niet met u getrouwd zijn. Heb ik het goed?'

Fia knikt.

'Maar liefde heeft toch niks met geloof te maken?'

'Dat is een moeilijke vraag... ik weet het zelf soms ook niet, maar het zou fijn zijn als je ook geloofde. Dat zou voor Tom in de eerste plaats en voor ons makkelijker zijn,' antwoordt Fia eerlijk.

'Maar geloof en liefde kun je nooit iemand opdringen,' zegt Anja.

'Daarom is het belangrijk dat je elkaar eerst goed leert kennen voor je echt met elkaar omgaat.'

'Liefde kijkt niet naar geloof. Liefde geeft zichzelf aan iemand waar je echt van houdt en dan vallen de dingen eromheen vanzelf weg. Liefde is geven en nemen,' zegt Anja.

Fia merkt dat dit meisje niet dom is, fijngevoelig en open is en er ook over durft te praten, zelfs nog beter dan zij. Ze herkent iets van haar jeugdliefde in dit meisje.

Ze wordt teruggezet in haar verleden. Was hij niet net zoals dit meisje... haar eerste jeugdliefde. En heeft zij het toen niet uit moeten maken en heeft zij hem toen niet veel pijn gedaan... ze waren erg verliefd op elkaar.

'Heb ik u pijn gedaan... of heb ik iets verkeerds gezegd?' vraagt Anja die merkt dat Fia erg stil is geworden.

'Nee... nee...' antwoordt Fia wat in de war.

'Toch wel...' houdt Anja vol.

'Nee... ik moest terugdenken aan mijn jeugd en dan zie ik zoveel dingen in jullie relatie...'

'Heeft u vroeger meer vrienden gehad? Vast ook wel een jongen die niet van de kerk was,' vraagt Anja met een glimlach.

Opnieuw krijgt Fia een kleur en knikt wat verlegen tegen dit meisje met haar donkere kleding en open gezicht. Jammer dat ze een piercing in haar neus heeft... ze is best knap.

'Dus uw man was niet uw eerste liefde?'

'Nee...' antwoordt Fia zachtjes.

'Toch was uw man wel uw grote liefde, anders was u niet met hem getrouwd?'

Fia geeft geen antwoord en het blijft een tijdje stil tussen hen beiden, totdat ze, de vraag ontwijkend, zegt: 'Ja... Thomas is mijn man... wij houden erg veel van elkaar...'

'Voor Tom is het ook moeilijk...'

'Hoe bedoel je?'

'Dat hij met mij gaat en niet met een meisje uit de kerk dat christelijk is, omdat ík dingen doe waar hij het vaak moeilijk mee heeft.'

'Tom houdt van jou en zal zelf een keuze moeten maken,' antwoordt Fia.

'Dus u bent niet tegen onze vriendschap?'

'Natuurlijk had ik liever gehad, dat je net zo opgevoed was als Tom en naar de kerk ging en alles wat erbij hoort.'

'Uw man is er wel op tegen. Hij zal mij nooit aanvaarden. Heb ik het goed?'

'Daar ben ik wel bang voor…' antwoordt Fia eerlijk.

'Vindt u dat eerlijk tegenover ons?'

'Tom is onze zoon… wij hebben bij zijn doop beloofd hem godzalig op te voeden.'

'Hebben jullie dat dan niet gedaan?'

'Met ons gebrekkig geloof hebben wij dat geprobeerd.'

'En nu gooi ik roet in jullie christelijke eten,' lacht Anja.

'Jij kunt er niks aan doen, als Tom van je houdt en graag met jou door het leven wil gaan, dan kunnen wij daar weinig tegen doen en kunnen wij alleen maar hopen en bidden dat jullie toch onder Gods zegen gaan leven.'

'U weet heel goed dat ik daar geen zin in heb en Tom zal moeten kiezen tussen mij en jullie.'

'Daar heb je gelijk in. Toch kan het gebeuren dat je ook gaat geloven en naar de kerk wilt in de toekomst, dat weet je maar nooit,' verdedigt Fia zich.

'Nee… zo bekrompen zou ik niet kunnen leven… sorry hoor,' antwoordt Anja eerlijk.

'Dat kun je nooit allemaal van tevoren invullen,' antwoordt Fia ernstig.

'Waar blijven jullie met de koffie?' vraagt Tom als hij de keuken inkomt en zijn moeder en zijn vriendin bezig ziet.

'Volgens mij hebben jullie achter onze rug gekletst,' plaagt Tom.

Fia kijkt haar zoon aan en zegt zachtjes: 'Je hebt een eerlijk en verstandig meisje.'

'Dat had ik ook gedacht en ze kan zo lief zijn, ma,' zegt Tom terwijl hij Anja een kus geeft.

'Laat je vader het maar niet zien. Volgens mij mag je op zondag niet zoenen,' plaagt Anja.

'Toen wij vroeger nog kippen hadden bij ons thuis op de boerderij moest de haan op zondag bij de kippen weg,' vertelt Fia met een glimlach op haar gezicht.

'Moet je mijn moeder horen. Zeg ma... mag pa op zondag wel bij u slapen?' plaagt Tom dan.

'Tom, je gaat weer eens te ver, jongen,' zegt zijn moeder terwijl ze alle drie moeten lachen.

Dan gaan ze de kamer in. Thomas is een dik prekenboek aan het lezen.

Als Fia een kop koffie bij hem neerzet, legt hij het boek op de grond en kijkt Anja aan en vraagt: 'Geloof jij in een god?'

'Ja, hoezo?'

'Dat is erg belangrijk. Lees je ook weleens in de Bijbel?'

'Nee... moet dat dan?'

'Dat is Gods Woord.'

'Weet u dat wel zeker?'

'Ja... dat is zeker,' antwoordt Thomas vol overtuiging.

'Hoe kunt u dat bewijzen?'

'Dat doet Gods Woord zelf als je eruit leest en de Heere God werkt met Zijn Heilige Geest om je te leren Zijn Woord te verstaan. Daarom is het zo belangrijk dat wij Gods Woord onderzoeken en naar de kerk gaan, waar wij onderwijs krijgen van de Heere God Zelf.'

'Dus u gelooft dat de Heere God Zelf ook in de kerk is?' vraagt Anja.

'In de persoon van de Heilige Geest is Hij aanwezig waar Zijn Woord in waarheid wordt gepredikt.'

'Laten we het gezellig houden en ergens anders over praten,' zegt Tom, die merkt dat anders zijn vader de hele avond aan het preken gaat tegen Anja en hij weet dat Anja daar zeker tegenin zal gaan en dat het alleen maar erger zal worden tussen die twee.

Thomas wil zijn prekenboek weer pakken om te lezen.

'Pa, heeft u nog nagedacht over uw kantoor dat op de sloperslijst staat?' vraagt Tom.

'Je weet heel goed dat wij hier 's zondags niet over zaken praten.'

'Maar heeft u niet naar de gemeente gebeld?'

'Dat heb ik, ja... ze weten daar nergens van.'

'Dacht ik het niet... de smeerlappen willen het nog niet bekendmaken. Het is toch normaal dat ze eerst de eigenaren van de panden inlichten,' zegt Tom.

'Jullie zijn verkeerd ingelicht, er wordt niks gesloopt. Het zou ook belachelijk zijn,' antwoordt Thomas.

'Dus u denkt dat mijn vader liegt?'

'Wat heb ik met jouw vader te maken?' antwoordt Thomas kort.

'U krijgt zeker weten met hem te maken als daar die panden worden verkocht. Trouwens, mijn vader heeft al een paar panden bij uw kantoor opgekocht. Weet u daar dan helemaal niks van?'

'Jouw vader maakt die mensen wat wijs en probeert er zo een slag uit te slaan en daar moet hij niet bij een makelaar mee aankomen,' zegt Thomas niet zonder trots.

'Nou ja... u moet het zelf weten. Mijn vader geeft meer dan de gemeente voor een slooppand. En die projectontwikkelaars zitten ook niet stil. Die zijn al bij mijn vader geweest.'

'Laat dat maar aan mij over. Daar heb ik jouw vader niet bij nodig. Je denkt toch niet dat jouw vader meer verstand heeft van de verkoop van huizen dan een makelaar?'

'Dat zeg ik niet. Toch zou ik maar eens met mijn vader gaan praten,' zegt Anja vriendelijk.

'Nooit! En nu wil ik er geen woord meer over horen.'

Anja geeft geen antwoord.

Tom brengt die avond Anja al vroeg naar huis. Zo gezellig is het niet bij Tom thuis.

7

Het is een sombere dag; de wind zwiept de takken van de oude bomen wild tegen het raam van het makelaarskantoor.

Fia zit achter de computer aan de balie en hoort de hagel tegen de ruit kletteren. Ze zit daar maar alleen, er komt bijna geen mens bij haar aan de balie. Ook boer Hendriks komt op zo'n dag geen kopje koffie bij haar drinken. Je laat op zo'n dag geen hond buiten.

Thomas is naar het gemeentehuis. Hij heeft een uitnodiging gekregen voor een gesprek. Het gaat om het oude makelaarskantoor. Hij was erg driftig en riep steeds dat hij zelf baas is over zijn eigen grond en het makelaarskantoor dat zijn vader vroeger zelf heeft laten bouwen. Ze slopen al de oude panden in het centrum en er komen nieuwe gebouwen voor in de plaats, maar dit statige gebouw, dat nog van voor de Tweede Wereldoorlog is, waar haar man zoveel herinneringen aan heeft, wil hij niet kwijt. Zij kwam er werken als jong meisje op kantoor. Het was toen het enige makelaarskantoor van het dorp en de omgeving. Ze leerde hier Thomas kennen. Hoewel ze verkering had... ja met Wibe... Zo glijdt ze weer weg van het heden naar het verleden. Het scherm van haar computer staat aan en de takken voor het raam gaan hevig tekeer en af en toe slaat de hagel tegen de ramen, maar Fia is ver weg in het verleden: ze wandelt samen met Wibe gearmd over de dijk. In de verte begint het donker te worden. Het is niet de duisternis van de avond, maar van de natuur. Er is zwaar weer op komst. De wind waait door haar lange haren.

Wibe trekt zijn jasje uit en legt het over haar schouders, en drukt haar stevig tegen zich aan en fluistert: 'Niet bang zijn... het is maar een bui...'

Ze was niet bang als Wibe haar zo vasthield, al zou het gaan hagelen. Hun liefde was zo groot en eerlijk.

Toen was daar die donderslag uit de hemel. Ze zag een vuurpijl op hun boerderij terechtkomen en even later was daar een vuurzee.

'Onze boerderij is geraakt!' schreeuwde ze uit.

'Ja... je hebt gelijk... stil maar. We gaan er snel heen,' antwoordde Wibe bezorgd.

Ze renden samen hand in hand naar de brandende boerderij. De vreselijk bui wordt minder, het onweer trekt weg met zijn vreselijke geluid en de hagelbui houdt op. Alleen is daar in de verte de rode gloed en de donkere rook terwijl de zon alweer door de wolken heen breekt. Het lijkt alsof het vuur uit de hemel is neergedaald nu de lichtstraal van de zon weerkaatst op het dak van de boerderij, die gedeeltelijk in brand staat.

Als ze er zijn, zijn al veel mensen bezig de dieren uit de stallen te halen en anderen halen de meubels uit de boerderij.

Wibe laat haar hand los en zegt: 'Denk erom, jij blijft hier!' Ze zoekt haar ouders. Ze ziet haar moeder staan tussen de meubels en spullen. Ze gaat bij haar staan en legt haar arm om haar heen. Ze hoort haar moeder snikken: 'Het is een godsoordeel over ons, kind...'

'Rustig maar... waar is pa?'

'Die is bij de dieren...'

'Dan komt het heus wel goed, ma.'

'Nee kind... God is toornig op ons...' snikt haar moeder.

'Dat mag u niet zeggen, ma. Het was de bliksem die insloeg.'

'Nee kind, het zijn onze zonden... we worden gestraft...'

'Ach ma...'

'Toch is het zo, kind... we hebben gezondigd...' snikt haar moeder opnieuw.

Dan is er een schreeuw die boven al het geluid uit komt: 'Help!!!!' Het is de stem van haar kleine zusje Maria.

'Waar is Maria?' vraagt Fia bezorgd.

'Die was boven op haar kamer...'

Ze horen opnieuw die akelige gil boven alles uit: 'Help! Help!!!'

De brandweer is er. Er gaan mannen de vuurhaard in, maar ze komen al snel terug zonder Maria.

Fia houdt haar moeder stevig vast en een paar brand-weermannen houden haar vader vast. Ze kunnen alleen maar blussen. Het is onmogelijk de boerderij in te gaan. Ze horen nog een paar keer een zwak geroep en dan horen ze boven alles uit het gekraak van het dak dat instort.

Dan zien ze ineens uit de vlammen een jongeman komen, hij draagt in zijn armen een meisje van tien jaar. Ze ligt levenloos in zijn armen. Wibe legt haar op het gras. Er komen snel mensen bij. Ze lijkt dood te zijn. Haar kleren zijn zwart en een gedeelte van het haar is verbrand, even-als haar gezicht.

Fia en haar moeder rennen naar haar toe.

'Rustig...' zegt Wibe die voorzichtig probeert haar bij te brengen.

Er is al snel een arts bij. Hij onderzoekt haar, maar ze ademt niet meer. De arts en Wibe zitten op hun knieën bij haar. Fia houdt haar moeder stevig vast en een paar man-nen houden haar vader vast. De arts kijkt Wibe aan die ook brandwonden heeft en zwart van de rook is.

'Het was moedig van je, jongen, om haar uit dat vuur te halen… maar het is helaas te laat… Ze is gestikt in de rook en het vuur heeft haar verbrand… helaas…' zegt de arts met zachte stem. Het wordt helemaal stil als de omstanders dit horen.

Nu knielen moeder en dochter bij het kind neer en snikken steeds opnieuw: 'Maria… Maria…' Het is vreselijk om aan te zien. Ook de vader gaat bij het kind op zijn knieën zitten en roept het uit. De anderen kunnen alleen maar toekijken.

De brandweerlieden gaan gewoon door met het blussen van het vuur. De vrouwen uit de buurt weten niet wat ze ermee aan moeten. De dokter spreekt meelevende woorden en al snel is hun dominee er, die probeert hen te troosten. Ze zijn niet meer te troosten. Als je zo je kind ziet liggen… Zwart van het vuur en de rook, en haar haren, die zo mooi lang waren, zijn weggebrand.

Wibe ziet dat ook Fia overstuur is. Hij pakt haar bij haar schouder en troost haar.

Dan gaat haar vader staan en schreeuwt het uit met beide armen in de lucht.

'Waarom, Heere… wat hebben wij misdaan dat U mijn kind wegneemt!?'

De dominee houdt hem vast en zegt: 'Rustig… des Heeren wegen zijn voor ons ondoorgrondelijk…'

'Wij hebben gezondigd…' Hij kijkt dan met grote ogen naar Fia en roept: 'Nu heb ik niks meer… ook jij zult branden in het vuur… jij die met een goddeloze kerel omgaat. Je liep daar op de dijk met hem midden op de dag. God had jullie moeten treffen. Maar Hij nam onze onschuldige Maria weg!'

Fia staat op en rent het veld in, gevolgd door Wibe.

Als hij haar ingehaald heeft, dan neemt hij haar in zijn armen en fluistert: 'Je vader weet niet wat hij zegt... hij is overstuur...'

'Nee... nee... hij haat ons. Hij wil niet dat wij samen gaan... hij gelooft dat het onze schuld is...'

'Dat is niet waar. Jullie geloven in een God Die oordeelt... ik niet, en dit is geen straf van God. Geloof mij nou maar, Fia.'

'Maar pa denkt van wel... hij riep het tegen ons...'

'Hij heeft ons gezien op de dijk... dat beeld heeft hij voor ogen. Hij is tegen onze verkering. Ik mocht nooit bij jullie thuis komen en hij heeft jou verboden met mij om te gaan,' legt Wibe uit aan Fia die helemaal overstuur is.

'Dus ik was ongehoorzaam en nu heeft God ons gestraft door mijn zusje Maria weg te nemen... o, wat zal ze geleden hebben in dat vuur en die vreselijke rook...'

'Toen ik haar ontdekte op haar hulpgeroep en haar boven vond was ze al gestikt door die vreselijke rook. Ik kon haar net nog snel beetpakken voor het brandende dak instortte. Ze heeft niet meer weg kunnen komen omdat de vlammen en de rook haar de weg afsneden en haar de zuurstof ontnamen. Ik moest ook snel zijn. Het was bijna niet te doen,' legt Wibe uit terwijl hij haar stevig vasthoudt en voelt dat ze over heel haar lichaam beeft.

Hij neemt haar mee naar zijn auto die hij langs de dijk heeft gezet. Hij had daar op haar gewacht. Ze hadden stiekem afgesproken op de dijk uit het zicht van de boerderij. Fia was zogenaamd gaan wandelen over de dijk.

'Hoe moet het nu verder... wat gaat er met mijn zusje gebeuren... is ze wel echt...?' vraagt Fia als ze in de auto zitten en ze het nog niet echt kan geloven.

'Ja… ze is… ik was te laat…' antwoordt Wibe zachtjes.

'Waar ga je heen?'

'Je kunt nu beter met mij meegaan,' antwoordt Wibe terwijl hij over de dijk rijdt en ver van de rokende boerderij vandaan rijdt.

'Maar ik moet naar huis… hoe moet het met ma en Maria…?'

'Je moet eerst wat tot rust komen. De mensen bij jullie in de buurt zorgen wel voor je ouders.'

Dan houdt Fia haar handen voor haar gezicht en snikt: 'Maria… Maria, mijn lieve zusje… het is allemaal mijn schuld. Pa heeft gelijk… ik ben ongehoorzaam geweest en ben toch met jou meegegaan. God heeft ons gestraft.'

Wibe legt onder het rijden zijn arm over haar schouder en zegt: 'Jij hebt niet gezondigd… je mag niet zo denken.'

'Maar pa… pa zei het toch…'

'Je vader weet niet wat hij zegt. Hij meent het niet echt. Hij is helemaal in de war… en jij ook… Het is heel erg wat er is gebeurd. Je ouders zijn overstuur, maar jij ook.'

'Maar ik moet naar huis… Maria…'

'Vertrouw nou maar op mij,' zegt Wibe bezorgd, die ook niet weet wat hij hiermee aan moet. Hij is dan ook opgelucht als hij de oprijlaan van het landhuis oprijdt.

Als hij binnen is met Fia, komt zijn moeder hen tegemoet in de hal.

'Wat zien jullie eruit, zeg… wat is er gebeurd?'

'Laat maar, ma… het is heel ernstig.'

'Toch geen ongeluk gehad… wat zie je eruit, jongen. Je bent helemaal zwart. Je zit onder het roet…'

'Ja ma…' Ondertussen legt Wibe Fia op de bank die het uitsnikt: 'Maria… Maria, mijn zusje, is verbrand… wij hebben gezondigd… het is allemaal mijn schuld.'

'Lieve kind, wat is er toch…?'

Dan vertelt Wibe alles aan zijn moeder.

'Vreselijk… waar zijn je ouders… ze mogen wel zolang hier logeren als ze geen onderdak hebben…'

'Nee… ma…'

'Waarom niet, jongen… het zijn mensen in nood…'

'Ze geven ons de schuld, ma… ma, ik…' Dan kan Wibe zich ook niet meer goedhouden en barst in tranen uit. Hij loopt de kamer uit. Zijn moeder volgt hem.

'Jongen toch… jij hebt hier toch geen schuld aan…?'

'Maar die mensen denken daar anders over…'

'Ach, altijd dat geloof… ze praten zichzelf wat aan…'

'Zorgt u nou maar voor Fia, dan ga ik me even douchen.'

'Ik zal haar een paar rustgevende pillen geven, zodat ze tot rust komt.'

Als de moeder van Wibe weer terug in de kamer komt, ligt Fia niet meer op de bank. Wibes moeder rent naar de hal en ziet Fia net nog naar de voordeur lopen.

Ze pakt haar snel bij haar arm.

'Jij blijft voorlopig bij ons… zo kun je niet naar huis gaan.'

'Maar mijn ouders?'

'Daar wordt voor gezorgd. Volgens Wibe was er een arts en was jullie dominee er ook bij.'

'Maar Maria…?'

Dan zakt Fia in elkaar en ligt ze in de armen van Wibes moeder. Ze is bewusteloos geraakt.

Ze roept hard om haar zoon Wibe.

Wibe komt de hal in gerend en ziet zijn moeder staan met Fia in haar armen.

Wibe neemt haar in zijn armen en legt haar terug op de bank.

'Haalt u even een nat washandje.'

Als zijn moeder hem het natte washandje geeft, maakt Wibe haar voorhoofd en polsen nat en horen ze haar zeggen: 'Maria... Maria... het is allemaal mijn schuld... ik moet naar huis... ik mag niet bij jou zijn... ik moet...' en dan sluit ze haar ogen.

'Zou je haar naar boven kunnen dragen? Ze moet echt tot rust komen en dan kan ze beter boven in bed liggen... dit gaat zo niet goed,' zegt zijn moeder bezorgd.

Wibe neemt haar opnieuw in zijn armen, tilt haar voorzichtig op en draagt haar de trap op naar een van de slaapkamers.

Als hij haar op bed legt, opent ze opnieuw haar ogen. Ze zegt niks.

'Zal ik haar wat slaaptabletten van mijzelf geven?' vraagt zijn moeder.

Zo slaapt Fia de slaap der gerusten.

De volgende morgen staat er een meneer voor de deur.

Wibe doet open.

De meneer stelt zich voor als Rinse. Het is de makelaar waar Fia op kantoor werkt.

'O... u bent de werkgever van Fia?'

'Juist, kan ik even binnenkomen?'

'Jazeker, komt u maar verder...'

Wibe wijst de heer Rinse een stoel in de woonkamer en stelt hem ook voor aan zijn moeder.

'Ik kom voor Fia Draaier, de dochter van boer Draaier.'

'Juist...'

'Haar ouders heb ik zolang een leegstaand huis verhuurd. U weet dat ik makelaar ben?'

'Dat heb ik begrepen van Fia,' antwoordt Wibe vlot.

'Hoe gaat het met Fia, als ik vragen mag?'

'Niet zo goed... ze ligt de hele dag in bed. We hebben er een arts bij gehaald en die heeft haar wat rustgevende tabletten voorgeschreven,' legt de moeder van Wibe uit.

'U zult het wel vreemd vinden dat ik haar hier kom opzoeken?'

'Nee dat niet... U bent tenslotte haar werkgever,' antwoordt Wibe zakelijk.

'Haar ouders hebben mij opdracht gegeven om haar mee te nemen naar huis. Ze willen met haar praten. Ze hebben het erg moeilijk door het verlies van hun dochtertje en haar vader moet nogal lelijke dingen hebben gezegd. Hij heeft daar spijt van.'

'Dat kunt u beter tegen Fia zelf zeggen,' antwoordt Wibe.

'Kan ik haar dan spreken?'

'Ik zal haar even halen. Ze ging zich een halfuur geleden douchen,' antwoordt Wibes moeder.

Als Fia beneden in de woonkamer komt en meneer Rinse ziet zitten, kijkt ze hem angstig aan.

'Dag Fia... hoe gaat het met je?'

'Gaat wel...' antwoordt Fia zachtjes.

'Je ouders hebben mij gestuurd. Ze wonen voorlopig in een van mijn panden en willen graag dat je weer thuiskomt. Ze hebben het nogal moeilijk.'

'En mijn vader...?'

'Die wil met je praten. Hij heeft spijt van wat hij tijdens die brand tegen jou heeft gezegd... hij meende het niet zo.'

'O...' zegt Fia wat verlegen.

'Zou je dan mee willen gaan?'

'Ja... ja, dat wil ik wel...'

Even later stapt Fia bij meneer Rinse in de auto en brengt hij haar naar het pand waar haar ouder zolang wonen, totdat de boerderij weer is herbouwd.

Zonder woorden drukken haar ouders hun dochter tegen zich aan en snikt haar vader dat hij er spijt van heeft en erg overstuur was door de brand en het verlies van hun Maria.

Een paar dagen later wordt Maria begraven. Het hele dorp loopt uit naar het kerkhof voor een kind van tien jaar dat in de vlammen omkwam.

Dan ontwaakt Fia uit het verleden door een stem en een deur die hard dicht wordt gesmeten.

'Wat is er met jou... is er wat gebeurd... heb je gehuild?' vraagt Thomas die terugkomt van het gemeentehuis.

'Nee... nou, ik... ik moest aan vroeger denken, aan die brand en mijn zusje Maria... Het komt door dit weer en het onweer... toen was het ook zulk weer, dan moet ik daar vaak aan denken,' antwoordt Fia terwijl ze haar ogen droogt.

'Ja... ja, dat zal wel,' antwoordt Thomas wat afwezig.

Fia merkt dat er iets mis is gegaan op het gemeentehuis.

'Hoe is het gegaan op het gemeentehuis?'

'Ze willen hier appartementen gaan bouwen. We moeten hier weg. Ik kan ergens anders een stuk grond krijgen om een nieuw kantoor te laten bouwen,' zegt Thomas bedroefd.

'Je kunt er beter eerst eens met Anja's vader over praten,' zet Fia.

'Met die lui wil ik niks te maken hebben,' antwoordt Thomas kort.

'Je moet het zelf weten, hij wilde dit pand kopen en heeft

er de mensen voor die alles regelen voor je.'

Thomas geeft geen antwoord en gaat naar boven, naar zijn kantoor.

8

Na het avondeten als Fia de tafel afruimt en alles in de afwasmachine heeft gedaan, komt Tom naar beneden en terwijl hij zijn jack aantrekt vraagt Fia aan haar zoon: 'Waar ga je al zo vroeg naartoe?'

'Wat dacht u?'

'Naar Anja?'

'Goed geraden, hoor,' zegt Tom met een spotlachje op zijn gezicht.

'Waarom breng je haar nooit meer mee, ze is hier maar een keer geweest.'

'En dat was erg gezellig, hè?'

'Nou ja. Ze kan zich toch ook een beetje aanpassen.'

'Hoe bedoelt u?'

'Aan jou en ons. Het is ook voor haar eigen bestwil. Ze geeft toch veel om jou.'

'Dus zij moet zich aanpassen aan ons?'

'Als zij echt van je houdt, dan zal ze dat zeker doen.'

'Zij heeft zich aangepast aan mij, nee, laat ik het anders zeggen, wij passen ons aan elkaar aan, als u begrijpt wat ik bedoel.'

'Dat is goed, jongen, maar ik denk dat jij meer in moet leveren dan zij?'

'Nee, ma... jullie zijn het die niks willen inleveren.'

'Wat wil je daarmee zeggen?'

'Dat zij zich per se moet kleden zoals jullie dat graag zien en op z'n minst een keer op een zondag naar de kerk moet gaan. Zo is het toch?'

'Is dat te veel gevraagd als je van iemand houdt?'

'Heel veel, ma. Zij heeft een hekel aan mensen van de kerk en vooral als die alleen maar naar de buitenkant kijken en dat heeft Anja hier goed aangevoeld.'

'Is ze kwaad op ons?'

'Dat zou je wel kunnen zeggen, ja...'

'Komen jullie het dan vandaag met ons uitpraten,' zegt Fia, haar zoon ernstig aankijkend.

'Nee ma... jullie zijn er nog niet klaar voor en vooral pa niet, die zal Anja nooit aanvaarden zoals zij is.'

'Je kunt er toch samen met ons over praten,' houdt Fia vol.

'Laat pa het maar niet horen. Volgens hem valt er niks te bepraten. De laatste tijd gaat het niet goed hier in huis.'

'Waarom niet?' vraagt Fia geschrokken.

'Vanavond aan tafel gaf pa nergens antwoord op als je hem wat vroeg. Hij leest uit de Bijbel alsof hij een lesje opzegt en zijn gebed wordt steeds korter en als je iets tegen hem zegt, loopt hij het liefst weg,' zegt Tom fel.

'Waar zou dat aan liggen, denk jij?'

'Niet aan mij.'

'Je weet ook dat het niet goed gaat met de zaak en nu heeft hij te horen gekregen dat het kantoorpand weg moet en dat de vader van Anja daar ook achter zit.'

'Praat toch niet zo dom, ma. Ik hem al een tijd geleden gewaarschuwd; nu heeft hij het van de gemeente gehoord en is hij in paniek en heeft iedereen het gedaan.'

'Het is niet leuk als je een zaak hebt van vader op zoon en dan te horen krijgt dat je als makelaar je eigen zaak moet verkopen.'

'Daar is toch niks mis mee. Hij kan een mooie prijs krijgen en kan er een modern kantoor voor terugkrijgen.'

'Hij wil daar niet weg. Zijn vader is daar vroeger begonnen. Zelf heb ik er als jong meisje op kantoor gewerkt en ik leerde daar je vader kennen.'

'Was maar ergens anders gaan werken, dan had je… ach, laat ik maar niks zeggen,' zegt Tom die zelf schrikt van zijn woorden.

'Wat wil je daarmee zeggen?'

'Laat maar zitten…'

'Nee Tom, zeg op!' zegt Fia fel terwijl ze hem aan zijn jack trekt.

Tom kijkt zijn moeder aan en vraagt met zachte stem: 'Houdt u wel echt van pa…?'

'Waarom vraag je dat…' zegt Fia terwijl ze wit wegtrekt.

'Ma… ma, het spijt me…'

'Wat spijt jou?'

'Dat ik dit zeg…'

'Maar jongen… natuurlijk houd ik van je vader. Hoe kom je op zulke rare gedachten?'

'De laatste tijd pieker ik niet alleen over pa, maar ook over u… ik weet niet hoe ik het moet zeggen…'

'Maar je mag niet denken dat ik niet meer van je vader houd. Wij hebben het moeilijk omdat alles tegenzit, dat moet jij toch kunnen begrijpen?'

'Dat hebben jullie aan jezelf te danken. Pa is zo eigenwijs dat hij geen advies van een ander wil aannemen en denkt dat hij op deze manier verder kan gaan.'

'Maar wat heeft dat met mij te maken?'

'U bent de laatste tijd heel anders en soms heb ik het gevoel dat u wat in de war bent en ik weet dat u 's nachts vaak op loopt.'

'Dat komt omdat ik vaak hoofdpijn heb.'

'Ma… waarom praat u er niet gewoon over?'

'Waar moet ik over praten?'

'Over uw jeugdliefde,' antwoordt Tom dan onverwachts.

'Jeugdliefde... wat wil je daarmee zeggen?' vraagt Fia geschrokken.

'Laten we er hier niet over praten...'

'Wacht, ik zeg tegen je vader dat ik even met je meega voor een boodschap,' zegt Fia terwijl ze haar schort afdoet en naar de kamer loopt.

'Thomas, ik ga even met Tom mee om wat te halen voor morgenvroeg!' roept Fia tegen haar man die verscholen zit achter zijn krant.

'Ja... ja...' krijgt ze als antwoord.

Ze stapt bij Tom in de auto.

'Stom van mij,' zegt Tom als ze de oprit afrijden.

'Wat bedoel je nou... waarom praat je zo in raadselen tegen mij?'

Tom kijkt zijn moeder aan en vraagt: 'Heeft u vroeger een zusje gehad?'

Fia laat haar hoofd zakken en begrijpt dat haar nu de rekening wordt gepresenteerd.

Tom stopt op een parkeerterrein waar het nogal stil is.

'Waarom heeft u er ons nooit over verteld en opa en oma ook niet?'

Fia kijkt haar zoon aan. Tom ziet dat er tranen over haar wangen lopen.

'Ma... ma, waarom?'

'Het is moeilijk, jongen...'

'Waarom moet ik het van andere mensen horen?'

'Wie heeft het jou verteld?'

'Nou ja... het is begonnen toen Anja voor het eerst bij ons was. Ze heeft toen wat met u gepraat in de keuken en u heeft toen laten merken dat u wel wist wat het is om van een jongen te houden die nergens aan doet...'

'Dat heb ik niet gezegd,' antwoordt Fia terwijl ze haar tranen droogt.

'Nou ja, zoiets dan... ze voelde dat u niet gelukkig was en er vroeger iemand in uw leven geweest moet zijn...'

'Bedoel je daar mijn zusje Maria mee?'

'Heette ze Maria? Dus u had een zusje... dat verhaal is dus echt gebeurd?'

'Van wie heb je het gehoord?'

'Van de vader van Anja. Die is ongeveer van dezelfde leeftijd als u... hij dacht dat ik het wist.'

'Wat vertelde hij?'

'Dat de boerderij vroeger een keer is afgebrand en jullie tijdelijk in een huurhuis woonden, daar had opa die toen al makelaar was voor gezorgd.'

'Ja, dat is zo...' geeft Fia toe.

'Waarom moet ik dit allemaal van een ander horen?'

'Het is een pijnlijke geschiedenis. Mijn zusje Maria... ze is... het was mijn schuld...' snikt Fia.

'Heeft u die brand...?'

'Nee... Nee... de bliksem was ingeslagen op de boerderij,' antwoordt Fia.

'Waarom voelt u zich dan schuldig?'

Het is nu een tijdje stil in de auto. Fia snuit haar neus en kijkt haar zoon aan.

'Wat is er gebeurd, ma?'

'In die tijd hield ik van een jongen net zoals jij nu...'

'Nou en?'

'Ik mocht van thuis geen omgang met hem hebben. Hij was niet gelovig en wilde niets met de kerk te maken hebben. Mijn ouders waren daar in die tijd erg streng in.'

'Maar dat heeft toch niks met die brand te maken en met uw zusje?'

'Toch wel...'

'Het was toch een blikseminslag?'

'Dat wel, ja... mijn vader had mij verboden met hem om te gaan, maar ik ging toch met hem. Wij woonden in een ander dorp en maakten afspraken in het geheim. Hij kwam dan met zijn auto op een afgesproken plaats en ik ging dan zogenaamd wandelen over de dijk en dan ontmoetten wij elkaar. Wij dachten dat niemand ons daar zien kon achter de dijk. Toen werd het plotseling noodweer. We wilden naar zijn auto rennen, maar zagen ineens die vreselijke inslag en ik wist zeker dat het onze boerderij moest zijn. Wij zijn ernaartoe gerend. Alles stond in lichterlaaie. Alles werd uit het huis gehaald en het vee uit de stallen. Niemand dacht aan Maria. Ze waren allemaal druk met de spullen en het vee en het blussen van de brand. Totdat er van boven hulpgeroep kwam, maar het dak stond op instorten. Niemand durfde meer naar binnen. Het was levensgevaarlijk. Mijn ouders werden vastgehouden, anders waren ze naar binnen gegaan en ook omgekomen.'

'Kon niemand haar meer redden?'

Dan zwijgt Fia even.

'Is je zusje levend verbrand?'

'Ja...'

'Kon niemand meer naar binnen van de brandweer of zo?'

'Wibe ging naar binnen... hij kwam met haar in zijn armen naar buiten.'

'Wie is Wibe?'

'Dat is die jongen, waar ik toen mee ging.'

'Heeft hij uw zusje uit de brandende boerderij gehaald terwijl anderen toekeken?'

'Ja...'

'Heeft ze nog geleefd?'

'Ze was gestikt door de rook en erg verbrand...' snikt Fia.

Tom legt zijn arm om haar heen en veegt snel zijn tranen weg als hij zijn moeder ziet huilen.

'Maar daar kon u toch niks aan doen?'

'Nee... mijn vader was helemaal van streek en schreeuwde dat het een straf van God was en wees naar mij en riep dat hij mij gezien had met die jongen en dat ik zonde had bedreven tegen Gods wil in. Hij schreeuwde dat het mijn schuld was,' snikt Fia.

'Hoe kan zo'n man nou zo stom zijn?' zegt Tom die zijn moeder tegen zich aan drukt. 'Werd u dan niet kwaad en zei die Wibe niks?'

'Nee... ik rende weg... hij kwam mij achterna en bracht mij bij hem thuis.'

'Maar die Wibe was eigenlijk een held omdat hij uw zusje er toch maar uithaalde,' zegt Tom verbaasd als hij dit allemaal hoort.

'Maar ze leefde niet meer.'

'Als ze nog geleefd had, dan was hij de held geweest en was je met hem getrouwd en was hij mijn vader geweest, dat weet ik zeker,' zegt Tom vol overtuiging.

'Nee... zo makkelijk was mijn vader niet. Wibe was voor hem een afvallig en zondig mens die zijn dochter verleidde...'

'En je moeder dan?'

'Die had niks te zeggen...'

'Het lijkt nu bij ons thuis net zoiets,' laat Tom zich ontvallen.

'Daarom ben ik zo bang dat jou ook zoiets overkomt...'

'Wat moet mij overkomen?'

'Dat je het verkeerde meisje kiest... je moet er heel je leven mee doen... dat mag je nooit vergeten, Tom...'

'Liefde vindt vanzelf zijn weg. Nooit zal ik Anja van mij af laten nemen of ze moet niet van mij houden, dan is het wat anders,' antwoordt Tom eerlijk.

'Je kunt het later nooit overdoen...'

'Heeft u daar nu nog last van, ma?'

'Ik houd van je vader, anders was ik niet met hem getrouwd.'

'Van wie hield u het meest?'

'Toen hield ik nog van Wibe,' antwoordt Fia eerlijk.

'Nu niet meer,' probeert Tom.

'Soms denk ik nog weleens aan hem... dat wel.'

'Als u hem zou ontmoeten, wat dan?'

'Dat kan niet... hij woont in Canada.'

'En zijn ouders?'

'Hij had alleen nog maar een moeder. Ze woont op het grote landgoed en ze hadden in die tijd een vleesfabriek in de stad.'

'Heeft uw vader u toen weggehaald bij die Wibe?'

'Nee... zijn moeder zorgde heel goed voor mij.'

'Dus u bent bij Wibe gebleven?'

'Maar één dag. Toen kwam jouw opa mij halen en vertelde dat mijn vader er spijt van had en toen ben ik meegegaan naar het huis dat ze zolang huurden totdat de boerderij weer opgebouwd was.'

'Toen leerde u pa kennen?'

'Die kende ik al, want ik werkte er op het kantoor waar ook je vader werkte.'

'Toen was het nog een goed bedrijf, heb ik weleens gehoord,' zegt Tom.

'Dat is waar... jouw opa was een goed zakenman en het

was een heel andere tijd. Er werden veel huizen verkocht door bedrijven aan particulieren in die tijd. Toen begon de gewone man een eigen huis te kopen,' legt Fia uit.

'Hield je toen nog van Wibe?'

'Hij wachtte mij op als ik van kantoor kwam, maar ik moest het uitmaken van mijn vader.'

'En dat deed u.'

'Na een tijdje wel...'

'En toen bent u maar met pa getrouwd?'

'Ik leerde je vader steeds beter kennen op kantoor. We werkten altijd samen en toen je vader directeur werd vroeg hij mij ten huwelijk.'

'Echte liefde, ma?'

'Ja... toch wel,' antwoordt Fia wat onzeker.

'Nooit meer wat van die Wibe gehoord?'

'Hij schreef mij vaak vanuit Canada. Hij hield nog steeds van mij en vroeg of hij mij mocht halen. Ik heb hem nooit teruggeschreven. Ik was gelukkig met je vader...' antwoordt Fia emotioneel.

'Waarom werd er nooit met ons over gesproken? Of wist pa er ook niks van?'

'Mijn vader... jouw opa wilde er niet aan herinnerd worden. Het scheurde oude wonden open. Er was een kind van hen omgekomen op een verschrikkelijke manier en mijn vader heeft dat nooit als een gewone blikseminslag kunnen zien, maar als een oordeel van God over onze zonden en ik was daar mee schuldig aan omdat ik op dat ogenblik met die jongen op de dijk liep. Hij moet mij gevolgd zijn en toen gemerkt hebben dat ik hem toch ongehoorzaam was en toen gebeurde dat vreselijke... het moest doodgezwegen worden...' zegt Fia terwijl ze haar tranen droogt.

'Weet Wil hier ook niks van... zij is tenslotte de oudste?'

'Nee... ik denk het niet of ze moet het, net als jij, van een ander gehoord hebben en er niet met mij over durven praten.'

'Toch vreemd... u had er toch gerust met ons over kunnen praten, dat lucht toch alleen maar op voor u.'

'Ik voelde mij in die tijd echt schuldig. Mijn vader wees mij als schuldige aan en dat blijft van binnen aan je vreten, vooral als het je eigen zusje is,' legt Fia uit.

'Toch zou ik zoiets nooit verzwijgen en mij ook niet schuldig voelen,' houdt Tom vol.

'Er gebeurde in zo'n korte tijd zoveel. Ik mocht niet met Wibe gaan en deed het toch, want ik was echt verliefd op hem en toen gebeurde dat vreselijke en heb ik het uitgemaakt en dat deed ook pijn.'

'Hoe reageerde die Wibe daar op?

'Hij probeerde met mijn vader te praten. Hij belde hem vaak op en stuurde brieven en kwam vaak bij ons thuis aan de deur en maakte het mij lastig op kantoor terwijl ik al een beetje verkering had met je vader. Je vader heeft hem zelfs een keer bedreigd.'

'Was pa dan blind? Zag hij dan niet dat je meer van die Wibe hield?'

'Dat mag je niet zeggen. Ik had het zelf uitgemaakt en hield toen ook van je vader,' antwoordt Fia zachtjes.

'Mag ik het aan Wil en aan Anja vertellen?'

'Nou ja... niet zo over Wibe... het is voor je vader ook niet leuk, daar moet je wel rekening mee houden,' antwoordt Fia.

'Toch heeft u het erg moeilijk en vooral nu het pa ook niet zo goed gaat met de zaak. Ik zal toch eens met hem gaan praten. Hij maakt het zichzelf moeilijk. Er zijn daar al veel kantoorpanden verkocht aan een projectontwikkelaar.

Als hij te lang wacht, wordt het door de gemeente onteigend en krijgt hij de geschatte waarde van het pand. Nu zijn er nog zakenlui die een goede prijs willen geven.'

'Je bedoelt zeker de vader van Anja?'

'Als pa het verkopen wil, dan heeft hij Anja's vader nodig en die heeft er wel zin in. Hij heeft al veel panden daar opgekocht voor projectontwikkelaars,' legt Tom uit.

'Laat mij er eerst maar met je vader over praten... en laten we nu maar naar huis gaan...'

'Goed, dan zet ik u thuis af en ga ik door naar Anja... oké?' vraagt Tom die te doen heeft met zijn moeder. Terwijl hij haar een zoen geeft op haar wang zegt hij: 'Ma... u kunt altijd bij uw zoon terecht als u het moeilijk heeft... onthoudt u dat?'

Fia knikt en stapt voor het huis uit de auto en gaat naar binnen. Ze voelt zich vermoeid na dit gesprek met haar eigen zoon dat nogal wat emoties veroorzaakte en opnieuw heel het verleden naar boven bracht.

9

Twee mensen in een kamer. De een achter een krant en de ander verdiept in een roman.

Thomas heeft de krant opengevouwen voor zich. Hij leest, maar kan zijn hoofd er niet bij houden, zijn gedachten zijn ergens anders. Hoe moet hij nu verder? Hij kan het niet verwerken, dat het pand weg moet waar hij als kleine jongen bij zijn vader zo vaak met zijn moeder kwam en toen hij afgestudeerd was ging werken als makelaarszoon en in hart en nieren makelaar werd. Het was een goed makelaarskantoor. Maar de laatste jaren is het slecht gegaan. Vroeger waren ze het enige makelaarskantoor in het dorp en de omgeving. Ze hadden veel personeel. Hij leerde er zijn vrouw Fia kennen. Hij was erg verliefd op haar. Ze had al een vriend toen ze bij hen op kantoor kwam werken, dat hoorde hij van zijn vrienden. Toch werd hij verliefd op haar. En als hij iets wilde, dan moest het ook gebeuren. Ook al had ze verkering met een ander. Hij kon zijn ogen niet van haar afhouden en liet dat ook merken op kantoor. Vaak bracht hij haar naar huis. Er waren in die tijd maar weinig mensen die een auto bezaten. Hij en zijn vader reden samen een Volkswagen. Hij bracht haar naar huis als het slecht weer was. Ze woonde in een dorpje hier dichtbij. Ze was de dochter van een boer.

Op een regenachtige avond stond hij erop om haar naar huis te brengen en beloofde haar 's morgens weer op te halen omdat zij haar fiets moest laten staan bij het makelaarskantoor.

Toen hij dicht bij hun boerderij was reed hij een zijpad

in tussen de bomen. Ze vroeg Thomas waar hij heen ging.

'Ik wil met je praten, Fia…' had hij verlegen gezegd. Hij was gestopt en had haar van opzij aangekeken en zag dat ze angstig was.

Voorzichtig pakte hij haar hand. Ze liet het toe. Hij kreeg hoop en zei: 'Fia, ik houd van je…'

Ze was geschrokken en trok snel haar hand weer terug en wilde uitstappen. Hij trok haar terug.

'Niet weggaan, Fia… laten we erover praten…'

'Je weet toch dat ik verkering heb,' antwoordde ze.

'Maar je ouders keuren het niet goed… Je mag toch niet met hem gaan?'

'Dat maak ik zelf wel uit en daar heb jij niks mee te maken, al ben je de zoon van de baas,' had ze fel gezegd.

'Maar ik geef veel om je en het wordt toch niks met die vent.'

'Daar heb jij je niet mee te bemoeien.'

'Toch wel, Fia… je weet dat ik van je houd en ik wil graag met jou gaan,' had hij verlegen volgehouden.

'Liefde moet van twee kanten komen, Thomas.'

'Maar als je toch niet met die ander mag gaan, dan kun je het toch proberen met mij?'

'Thomas… zo gemakkelijk gaat dat niet; ook al mag ik niet met Wibe gaan en moet ik het uitmaken, daarom kan ik nog niet met jou gaan.'

'Waarom niet?'

'Ik houd niet van je. We kunnen goed met elkaar opschieten op kantoor, maar verder mag het niet gaan. Thomas, breng mij nu maar naar huis, voordat mensen ons hier zien.'

'Jouw ouders zullen het goedkeuren. Ze willen niet dat je met die vent gaat. Hij doet nergens aan. Wij kunnen het samen heel goed hebben. Als mijn vader stopt met werken, ben ik de baas van ons makelaarskantoor. Wij gaan dan samen een goede toekomst tegemoet.'

'Dat zegt mij niks. Ik houd niet van je... laat mij met rust en breng mij naar huis, anders loop ik wel naar huis.'

Hij had opnieuw haar hand gepakt en wilde haar zijn liefde betuigen en trok haar naar zich toe. Ze had zich losgetrokken en was de auto uitgestapt en naar de boerderij gelopen. Hij was terug naar het makelaarskantoor gegaan, want hij moest nog wat werk doen, maar kon er niet met zijn hoofd bij blijven. Hij was voorgoed afgewezen.

Een week later was het noodweer geworden en was de bliksem ingeslagen in hun boerderij die zo goed als afbrandde. Haar kleine zusje was omgekomen bij die brand. Haar vader gaf haar de schuld, omdat het een oordeel van Boven was en de zonde bij haar lag. Zij was tegen het verbod van haar vader ingegaan door toch met die jongen om te gaan, die een man van de wereld was en nergens aan deed.

Zijn vader had haar opgehaald bij dat landgoed waar haar vriend woonde. Ze kwam toen dicht bij hen wonen zolang de boerderij nog niet was herbouwd.

Fia kwam gewoon weer op kantoor werken. Ze was van een vrolijk meisje een stil meisje geworden. Een maand na de brand had hij gevraagd of hij iets voor haar kon doen. Ze waren die avond alleen op kantoor. Ze begon zomaar te huilen en vertelde hem dat ze het uit had moeten maken en zich erg schuldig voelde door de dood van haar zusje.

Hij had haar getroost en verteld dat haar vader het mis had en dat zij geen schuld had. Hij had medelijden met haar, maar was ook erg verliefd op haar. Ze waren vaker samen 's avonds op kantoor om over te werken. De liefde tussen hen beiden ging groeien. Ze kregen verkering. Haar ouders waren blij dat ze met hem ging. Hij was van hun kerk. Ze trouwden na een jaar en kochten een huis en daar wonen ze nu nog in. Ze kregen twee gezonde kinderen, waar er nu al een van getrouwd is. Ze waren gelukkig en hadden het goed. Hij deed goede zaken. Zijn vader trok zich terug uit de zaak, hoewel hij altijd een oogje in het zeil hield; die ouwe van hem was een goed zakenman.

Thomas kijkt over zijn krant naar Fia en ziet dat ze verdiept is in een boek. Het is een van de romans die ze vaak leest. Hij heeft een hekel aan zulke boeken. Het zijn allemaal van die levensverhalen. Hij heeft genoeg aan zijn eigen levensverhaal.

Hij kan niet stil blijven staan bij het verleden en de toekomst ziet er slecht uit. Hij kan er met niemand over praten. Zelfs met zijn eigen vrouw niet. Zij vindt ook dat hij het beter vandaag kan verkopen dan morgen en ergens anders een kantoor huren, dan houden ze nog wat geld over en gaat alles misschien beter. Hij is zelfs bang het huis te moeten verkopen. Er komt te weinig geld binnen om van te leven. Hij heeft al geld bij de bank moeten lenen. Zo kan het niet verder gaan. Zijn zoon Tom heeft andere plannen en ziet niks in het opvolgen van zijn vader en misschien heeft hij wel gelijk. Hij zal toe moeten geven, maar daar is het karakter van Thomas niet naar. Hij kan het gewoon niet... begrijpt niemand dat dan... Er rollen een paar tranen over zijn wangen achter de krant. Hij kreeg altijd wat hij wilde. Zelfs de vrouw waar hij van hield... maar zou ze wel echt van hem houden? Ze is de laatste tijd zo stil en loopt vaak 's nachts op. Of zou ze ook piekeren over hun zorgen... zijn zorgen zijn toch ook haar zorgen?

Waarom kunnen ze er dan niet samen over praten? Nooit werd er over die brand gesproken. Voor hem was het een soort overwinning. Hij kreeg zijn Fia in de armen geworpen, doordat haar ouders haar een schuldgevoel oplegden. Die Wibe was nog vaak bij hen op kantoor komen praten met haar of hij wachtte haar op. Ze wilde niets meer met hem te maken hebben. Toen zij getrouwd waren was hij vertrokken naar Canada. Nooit werd er meer over gesproken, ook door hem en Fia niet. Voor hen was het een soort afgesloten boek dat herinneringen naar boven bracht die hun alle twee pijn deden. Hij, omdat hij op deze manier zijn geliefde kreeg en zij omdat zij haar eerste liefde moest opgeven door een schuldgevoel dat haar door haar ouders werd opgelegd. Ook hun kinderen weten er niks van. Ze vroegen er ook nooit naar, hoewel die brand toch wel bekend was toentertijd. Het was een afgesloten boek. Alleen hij kent het boek uit zijn hoofd.

Fia leest, maar slaat niet vaak een bladzijde om. Het is een verhaal dat haar anders best boeit, maar ze is nu met haar eigen verhaal bezig. Ze gaat van het heden naar het verleden: hoe zou Wibe er nu uitzien? Ze kent alleen dat korte stukje verleden. Ze dacht het voor zichzelf te houden, totdat Tom vragen ging stellen. Tom, die er nu net zo voorstaat als zij vroeger. Hij zal zijn ouders niet gehoorzamen. Zij zal het dan ook niet afkeuren, hoewel ze liever had gehad, dat hij met een kerkelijk meisje was thuisgekomen. Dat hoeft nog niet eens… als ze maar geloofde in Gods Woord. Ze weet dat liefde sterker kan zijn dan het geloof in God. Wibe vroeg haar eens: 'Houd jij meer van God dan van mij?'

Ze had ja geantwoord. Ze moest immers God liefhebben

boven alles en dus ook boven Wibe. Ze had niet eerlijk geantwoord. Ze had Wibe meer lief dan haar God. Ze had voor hem gekozen, maar wilde het niet tegenover Wibe bekennen. Ze had gezegd dat ze ook kon geloven al was hij niet gelovig en was zij haar ouders ongehoorzaam. Hij vroeg of ze dan niet die God ongehoorzaam was en zei dat zij dan meer van hem hield dan van de God van haar ouders.

Ze nam het hem niet kwalijk. Hij begreep niet veel van haar geloof. Hij had er wel een keer iets van gezien, vlak na die vreselijke brand, toen ze gevlucht was naar zijn huis en daar logeerde bij zijn moeder op dat grote landgoed. Hij wilde haar een goede nacht toewensen en toen zag hij haar voor het bed op de knieën liggen. Hij had gewacht totdat ze klaar was met haar gebed en vroeg haar toen: 'Ga jij nog voor zo'n God op de knieën Die jou en je ouders zoveel verdriet heeft aangedaan?'

Ze was in tranen uitgebarsten en hij had haar getroost. Hij kon niet begrijpen dat ze toch nog kon bidden.

Waarom is ze de laatste tijd zo met hem bezig... het is al bijna dertig jaar geleden. Het was haar jeugdliefde. Ze is nu toch met Thomas getrouwd. Ze hebben een goed huwelijk en twee kinderen. Waarom steeds weer terug naar dat verleden. Is het de pijn die nooit echt over is gegaan... haar zusje die levend is verbrand... haar vader die zo overstuur was en haar de schuld gaf van de brand en de dood van haar zusje Maria. Ze wist toch zelf ook wel dat ze daar geen schuld aan had, ook al riep haar vader dat. Ze heeft het toch uitgemaakt met Wibe. Het was te laat... ze kreeg er Maria niet mee terug en haar ouders waren nooit meer echt haar ouders van vroeger geweest. Ze had troost gezocht bij Thomas.

Als alles nu eens anders was gegaan en Wibe met een nog levende Maria uit die brandende boerderij was gekomen? Was Wibe dan de held van het dorp geweest en ook van haar ouders en had ze dan wel met hem mogen trouwen? Maar ze is nu toch met Thomas getrouwd... Waarom komt dan steeds die Wibe terug in haar gedachten? Zou het door Tom komen die nu ook een meisje heeft dat niet in God gelooft, wat zij als ouders liever ook niet willen? Alleen, haar zoon heeft een sterk karakter en zal zijn eigen gang gaan. Zou het te maken hebben met de overgang waar ze vaak zo'n last van heeft, vooral de laatste tijd nu ze weer op kantoor bij Thomas werkt? Soms kan ze vuurrood worden en breekt het zweet haar aan alle kanten uit en dat is lastig als er klanten aan de balie staan. Ze vindt die opvliegers dan ook heel erg. Ze lijkt soms wel een puber. Thomas snapt er niets van en vindt het maar aanstellerij, dat kleuren en zweten. Ze kan over zulke dingen niet met hem praten. De laatste tijd kan ze eigenlijk nergens meer met Thomas over praten. Hij is eigenwijs en wil niet toegeven dat hij daar weg moet met zijn kantoor en ergens een kleiner pand moet huren zodat ze misschien nog een bestaan hebben. Er zijn te veel makelaars op het ogenblik en die krijgen grote projecten aangeboden. Thomas wil daar niet aan meewerken omdat hij niet van zakenlui houdt die veel geld in hun zak stoppen dat ze niet eerlijk verdienen.

Thomas kijkt over zijn krant heen en merkt dat Fia al een tijdje geen bladzijde heeft omgeslagen.
'Is het spannend?' vraagt hij.
'Wat... wat is er...?'
'Ik vroeg of het spannend is...'

'Wat spannend?'

'Je boek?'

'O, ja...'

'Zeker die ene bladzijde. Hoe vaak heb je die gelezen?'

'Ik weet niet wat je bedoelt...'

'Fia, je leest niet echt.'

'Nee... je hebt gelijk...'

'Waar denk je aan?'

'Aan zoveel...'

'De zaak?'

'Dat ook, ja... heb je al een besluit genomen?'

'Er valt niet veel te besluiten als je in het nauw wordt gedreven,' antwoordt Thomas nors.

'Toch zou ik niet te lang wachten. Je kunt toch met je eigen zoon overleggen?'

'En dan de winst aan die kerel geven.'

'Dat maakt niet uit. Hij heeft al veel panden in de omtrek opgekocht en de meesten zijn tevreden met de projectontwikkelaar die van plan is daar een winkelcentrum te laten bouwen met daarboven appartementen. Wij zullen daar dan toch weg moeten.'

'Doet het jou dan niets?' vraagt Thomas terwijl hij zijn krant opvouwt en weglegt.

'Wat moet het mij doen? Voor jou is het wat anders, heeft het een emotionele waarde.'

'Dat heb je goed, maar daar houden die lui tegenwoordig geen rekening mee. Zo gaat er tegenwoordig veel oud verleden op de schop. Het is een schande! Mijn vader heeft het pand gekocht toen het een oud herenhuis was en er een fabrikant in woonde. Hij heeft het helemaal laten verbouwen.'

'Dat zal in die tijd niet veel gekost hebben.'

'Gerekend naar deze tijd niet, maar dat maakt niet veel uit. Toen was het geld ook meer waard.'

'Toch kun je er volgens Tom nu nog een goede prijs voor krijgen.'

'Je hebt mij nog steeds geen antwoord gegeven.'

'Wat wil je dan voor antwoord?'

'Of het jou niks doet... ik bedoel, het verleden...?'

'Nee... nee, daar denk ik liever niet aan.'

'Het was toch een mooie tijd toen mijn vader er nog werkte en wij samen bij hem op kantoor zaten en wij vaak zogenaamd moesten overwerken en zo elkaar beter leerden kennen...'

'Dat wel, ja...' antwoordt Fia terwijl ze een rood hoofd krijgt en het zweet haar uitbreekt. Ze heeft weer zo'n opvlieger en weer net op het verkeerde moment.

'Moet je daar nu nog om kleuren, zeg?' vraagt Thomas met een gemeen lachje op zijn gezicht.

'Laat maar... jij begrijpt toch niks van vrouwen die in de overgang zitten,' antwoordt Fia terwijl ze opstaat en naar de keuken loopt om koffie te gaan zetten, zodat ze uit het oog van Thomas is, die zo dom kan praten als ze een opvlieger krijgt.

10

Midden in de nacht sluipt er een man in het donker door het makelaarskantoor. Hij heeft een blik benzine in zijn hand. Hij loopt de trap op, maakt boven het blik open en giet overal benzine overheen. Hij haalt een aansteker uit zijn zak en een stukje papier. Hij steekt het papier in brand en gooit het op het bureau dat overgoten is met benzine. Er ontstaat een steekvlam. Snel rent hij de trap af. Onder in het kantoorpand doet hij hetzelfde en rent dan snel het gebouw uit. Wat verderop staat een auto. Er zit een man achter het stuur.

'Is het gelukt?' vraagt hij.

'Ja... de fik zit er goed in,' antwoordt de man die naast de bestuurder gaat zitten.

'Goed gedaan, jongen. De verzekering kan aan je vader goed geld dokken. Die ouwe van je zal ervan opkijken dat hij zijn kantoor niet hoeft te verkopen en toch centen beurt.'

'Ja...'

'Ben je niet blij?' vraagt hij als ze snel wegrijden en ze de vlammen door het raam van het kantoorpand zien oplaaien. Ze horen glasgerinkel.

'De ramen knallen door de hitte...' zag je dat?'

'Ja...'

'Ik had je opgewekter gedacht,' zegt de man die nu snel meer gas geeft en zorgt dat ze zo ver mogelijk van de brand vandaan komen.

De jongeman is stil en ruikt de benzinelucht aan zijn handen.

'We gaan snel naar huis en dan moet je dat benzineblik goed opbergen en je handen goed wassen.'

'Ja... dat is goed... als ze maar niet wakker worden...'

'Gewoon zachtjes doen en probeer zo snel mogelijk in je bed te kruipen zodat ze niet merken dat je weg bent geweest. Ik zet je wel dicht bij jullie huis af,' zegt de man.

De jongeman sluipt stilletjes naar binnen.

Hij wast zijn handen met heet water. Hij bedenkt dat hij is vergeten het benzineblik mee te nemen. Het ligt nog in de kofferbak van de auto van Sander. Nou ja, dan zal Sander zelf wel zorgen dat het weg komt.

Terwijl hij zijn handen aan het wassen is gaat het licht aan en ziet hij zijn moeder staan.

'Waar kom jij vandaan... ik dacht dat je allang in bed lag... Je had toch zo'n hoofdpijn?'

'Ja... ik ben niet weg geweest...'

'Waarom ben je dan aangekleed en waarom ben je zo je handen aan het wassen... Tom, wat heb je gedaan?'

'Niks hoezo?'

'Je stinkt naar benzine...'

'O ja... ik had pech met mijn auto en heb even wat geprutst aan mijn auto.'

'Ik dacht dat je in bed lag?'

'Gaat u maar weer slapen... ik ga ook naar bed,' zegt Tom terwijl hij de trap op rent en naar zijn kamer gaat.

Tom kleedt zich snel uit en kruipt onder het dekbed.

Als ma het maar niet in de gaten krijgt...

Fia is ook weer naar bed gegaan.

Een halfuur later gaat de telefoon en een agent van de politie zegt: 'Wilt u zo snel mogelijk komen...'

'Wat is er aan de hand...?' vraagt Thomas geschrokken,

die denkt aan een ongeluk, omdat zijn zoon weleens vaker midden in de nacht thuiskomt.

'Uw kantoorpand staat in brand. U kunt beter zelf even komen kijken,' antwoordt de agent.

'Mijn kantoor in brand?'

'Ja meneer...'

'Hoe kan dat nou?'

'Dat weten wij ook niet, dat wordt wel onderzocht als de brand geblust is.'

'Goed, ik kom eraan...'

'Waar is de brand?' vraagt Fia die net in bed ligt.

'Ons kantoorpand staat in brand... ik moet erheen. De politie belde...'

'O... zal ik meegaan?'

'Nee... dat is te gevaarlijk,' antwoordt Thomas die zich snel aankleedt.

'Is Tom thuis?'

'Ja, die ligt in bed.'

'Ik zal kijken of hij wakker is, dan kan hij meegaan,' zegt Thomas.

Thomas doet de slaapkamerdeur van Tom open en ziet dat Tom onder het dekbed ligt met zijn rug naar hem toe.

Thomas schudt hem wakker.

'Wat... wat is er...' vraagt Tom slaperig terwijl hij met zijn hand naar zijn hoofd gaat.

'Ons kantoor staat in brand... ga je mee... de politie belde net...'

'Nee... ik ben ziek en heb zo'n vreselijke hoofdpijn en ik heb koorts... nee...' zegt Tom terwijl hij zich omdraait en kreunt alsof hij erg ziek is.

'Nou ja... dan ga ik wel alleen...' zegt Thomas terwijl hij snel naar beneden gaat.

Als hij bij de brand aankomt en de vlammen hoog boven het kantoorpand ziet uitkomen, schrikt hij erg. Hij stapt snel uit zijn auto en wil naar het gebouw rennen. Een agent houdt hem tegen en zegt: 'U mag niet bij het pand komen. Er is instortingsgevaar.'

'Het is mijn kantoor. Er liggen nog belangrijke spullen op mijn kantoor.'

'O... bent u de eigenaar?'

'Ja...'

'Er valt niks meer te redden. De brandweer heeft moeite met het blussen. Het is een oud pand. De muren kunnen elk moment instorten... u bent te laat. Het staat al een tijdje in brand.'

'Hoe kan dat nou...?' vraagt Thomas angstig.

'Het kan kortsluiting zijn of iets dergelijks... dat weet je maar nooit met die oude panden,' antwoordt de agent.

'Maar dat kan niet... ik heb verleden jaar nog alles laten vernieuwen.'

'Dan heeft u pech gehad. Trouwens, maakt u zich er niet te druk om, deze gebouwen staan op de slooplijst. Trouwens, dat zult u ook wel weten,' antwoordt de agent wat onverschillig.

'Mijn pand wordt niet gesloopt...' zegt Thomas overstuur.

'Gesloopt of niet gesloopt, de brand heeft er nu toch wel een einde aan gemaakt,' antwoordt de agent. Meteen horen ze een vreselijk lawaai en stort er een zijmuur in.

'Vooruit, terug. Het is hier levensgevaarlijk!' roept de agent tegen Thomas.

'Maar ik moet naar binnen!'

'Dat gaat niet... er is al een muur ingestort en het vuur is te hevig.'

Zonder iets te zeggen rent Thomas naar de ingang van het gebouw. De deuren zijn er al uitgeslagen door de vreselijke hitte. Toch probeert Thomas binnen te komen terwijl een van de brandweermannen naar hem roept.

'Die kerel is niet wijs... hij verbrandt levend of krijgt een muur op zich.'

'Het is de eigenaar,' zegt een agent.

'Zet de spuit maar op hem zodat hij nat blijft,' zegt de brandweercommandant.

Ze richten een van de spuiten op Thomas terwijl een van de brandweermannen naar Thomas toe rent en hem wegtrekt aan zijn arm. Ze worden kletsnat gespoten; dat is ook wel nodig, want de vlammen slaan over hen heen.

'Weg hier, man!' schreeuwt de brandweerman die hem aan zijn arm trekt.

Net als ze weg zijn, stort de voorgevel van het gebouw in.

'We hebben geluk gehad, meneer... we hadden onder dat puin kunnen liggen.'

Thomas geeft geen antwoord en houdt zijn handen voor zijn gezicht. Hij staat te huilen als een klein kind en snikt.

'Nu heb ik niks meer...'

'Rustig maar, man... de verzekering betaalt wel.'

Thomas schudt zijn hoofd.

Ze brengen hem naar zijn auto. Een van de agenten gaat naast hem in de auto zitten.

'Ik kan goed begrijpen dat u het er moeilijk mee heeft, maar u weet toch wel dat deze gebouwen gesloopt worden en dat hier nieuwbouw komt. Is het nog steeds uw eigendom?' vraagt de agent.

'Ja...'

'Dus u heeft het nog niet verkocht?'

'Nee... waarom zou ik... ze krijgen mij hier niet weg.'

De agent merkt dat Thomas erg overstuur is en schrijft wat dingen op en vraagt of hij Thomas soms naar huis moet brengen.

'Nee... nee, ik wil weten wie de brand heeft aangestoken,' zegt hij ineens fel.

'Wie praat hier over aansteken?'

'Ik, dat hoort u toch!'

'Er komt natuurlijk een onderzoek naar hoe de brand is ontstaan en u zult best schade hebben wat de inboedel betreft, die kunt u verhalen op uw verzekering.'

'Het is gewoon aangestoken... ze willen mij hier weg hebben en anders niks.'

'Maar, meneer, u moet hier toch een keer weg... wat maakt het uit?'

'Heel veel... ik wil weten wie dit gedaan heeft. Jullie moeten het uitzoeken!'

'Dat zullen we zeker laten doen, maar reken niet op brandstichting... daar geloof ik niet in,' zegt de agent.

'Ik wel, zeker weten!'

'Als u het zo zeker weet, wie verdenkt u dan van zoiets?'

'Mensen die belang hebben bij de grond, een project-ontwikkelaar of een van die zakenlui... die zullen er wel achter zitten.'

'Die lui doen zoiets niet, daar maken zij hun handen niet aan vuil.'

'Dat laten ze wel een ander opknappen,' houdt Thomas vol.

Fia staat op en kijkt op haar wekkerradio en ziet dat het drie uur in de nacht is. Ze loopt naar de slaapkamer van haar zoon en doet de deur open zonder te kloppen.

Ze ziet Tom rechtop in bed zitten met zijn handen voor zijn gezicht. Ze knipt het licht aan en vraagt: 'Wat is er met jou aan de hand?'

'Ach, laat maar...' snikt Tom.

Fia gaat op de rand van zijn bed zitten en pakt een van zijn handen van zijn gezicht vandaan en vraagt: 'Waar ben jij vannacht geweest, Tom?'

Tom trekt wit weg, kijkt zijn moeder angstig aan en schudt zijn hoofd.

'Je handen ruiken nog steeds naar benzine, Tom...?'

'Hij wilde het... het is mijn schuld niet...'

'Je bent wel behoorlijk in de war... Kom, sta op en dan gaan we beneden wat drinken.'

Zonder antwoord te geven staat Tom op en volgt zijn moeder naar beneden.

Ze pakt twee glazen en schenkt die vol met wijn.

'Drink eerst maar wat... je zit helemaal te trillen... ben je ziek?'

'Nee...'

'Vertel alles maar, jongen... ik heb wel een vermoeden van waar je mee bezig bent.'

Opnieuw kijkt Tom zijn moeder angstig aan.

'Nou, kom op!' zegt Fia dan kort.

'Hij heeft mij geholpen om alles op te lossen... ik... ik heb het kantoor van pa in brand gestoken...' snikt Tom dan.

'Maar jongen... waarom?'

'Hij vond het de beste oplossing voor pa...'

'Wie is die hij?'

'Anja's vader... Sander...'

'Waarom vond hij het de beste oplossing?'

'Pa wil niet verkopen en het gaat alleen om de grond. De

gebouwen worden toch gesloopt als iemand het koopt voor een projectontwikkelaar.'

'Maar nu kan je vader het niet meer verkopen en is hij alles kwijt... weet je wel wat je gedaan hebt?'

'Dat zeg ik toch...'

'Hoe kon je zo ver komen...? Die Sander deugt niet.'

'Toch wel, ma...'

'Heb je het alleen gedaan?'

'Ja... hij bleef in de auto zitten en ik heb toen gedaan wat hij zei.'

'Jongen, hoe kun je toch zo dom zijn? Je bent strafbaar als ze hier achter komen.'

'Hier komen ze nooit achter volgens Sander.'

'Nee. Sander loopt geen risico. Hij heeft jou het vuile werk op laten knappen.'

'Pa was ook zo eigenwijs terwijl hij weet dat hij daar weg moet. Nu kan hij dubbel geld vangen.'

'Wie heeft jou dat wijsgemaakt?'

'Sander... hij krijgt geld van de verzekering voor het gebouw dat verbrand is en dan kan hij nog de grond verkopen aan Sander en die verkoopt het door aan een projectontwikkelaar die daar belang bij heeft.'

'O... nu begrijp ik die Sander... Sander is vuile zaakjes aan het doen. Je vader had wel gelijk dat die man niet deugde en hij het kantoorpand niet aan hem wilde verkopen.'

'Ze komen er toch nooit achter...' zegt Tom terwijl hij zijn moeder angstig aankijkt.

'Heb jij er rust van?'

'Nou ja... Sander vond het de beste oplossing en er kraait geen haan naar, zegt hij.'

'Dus jij vindt dit ook de beste oplossing voor je vader?'

'Ja... niet dan?'

'Nee jongen, nu zit je vader helemaal aan de grond. Het ergste is dat jij, zijn eigen zoon, de brand hebt gesticht.'

'Het zou toch tegen de grond gaan...'

'Je vader had het nooit verkocht... dat kon hij gewoon niet. Hij heeft het overgenomen van zijn vader en hij hoopte nog altijd dat jij hem daar zou opvolgen.'

'Dat zou ik toch nooit doen. Ik heb goed werk waar ik veel geld mee verdien,' antwoordt Tom.

'Onder andere met brand stichten en vuile zaakjes opknappen. Als je vader dit eens wist... hoe kon je het doen...?' snikt Fia.

Tom pakt de arm van zijn moeder en zegt: 'Pa... pa hoeft het toch niet te weten?'

Fia kijkt hem met betraande ogen aan en vraagt: 'Kun jij je vader recht in de ogen kijken?'

Tom haalt zijn schouders op en geeft geen antwoord.

'Nu heeft je vader geen werk meer en geen zaak...' zegt Fia verdrietig.

'Die zaak van pa liep toch niet meer. Nu krijgt hij geld van de verzekering en kan hij ook nog de grond verkopen.'

'Dan heb jij het goed mis, jongen. Wij zijn uit principe nergens voor verzekerd.'

'Hè? Niet verzekerd? Is dat pand niet verzekerd tegen brand en zo? Waarom niet?'

'Wij zijn tegen verzekeringen...'

'Ma... ma, dat is toch uit de tijd. Wie is er tegenwoordig niet verzekerd... meent u dit echt?'

'Anders zeg ik het niet...'

'Pa heeft vast wel de zaak verzekerd.'

'Reken daar maar niet op. Dat doen mensen die op God vertrouwen niet.'

'Dan moet de kerk maar betalen.'

'Omdat zijn eigen zoon zijn zaak in brand heeft gestoken?'

'Ja... het is toch de schuld van de kerk, die is er toch tegen...'

'Je weet niet wat je zegt... je moest je schamen... hoe kun je...'

'Wie heeft vroeger die brand aangestoken van jullie boerderij waarbij uw zusje de dood vond?'

'Wat bedoel je daarmee?'

'Volgens Sander wist uw vader dat die Wibe de boerderij in brand heeft gestoken en daarom mocht u niet met hem gaan en gaf opa u de schuld van alles,' zegt Tom brutaal.

'Hoe kom je daarbij?' vraagt Fia die het nu benauwd krijgt en erg bleek ziet.

'Dat heb ik van Sander en volgens mij heeft hij gelijk. Ze konden het alleen nooit bewijzen, maar u zult er ook wel meer van weten, anders had u het niet uitgemaakt.'

Fia gaat voor haar zoon staan en geeft hem een klap recht in zijn gezicht en schreeuwt: 'Maak dat je hier wegkomt!'

'U kunt niet tegen de waarheid!' roept Tom terug terwijl hij de trap oprent, zich snel aankleedt en zijn spullen pakt. Hij gaat de deur uit.

Fia hoort hem wegrijden. Ze staat te trillen op haar benen; ze neemt een paar tabletten paracetamol in en drinkt een paar glazen wijn erachteraan. Dan valt ze in slaap op de bank in de kamer.

Ze wordt wakker als Thomas voor haar staat.

Ze kijkt hem angstig aan en gaat rechtop zitten. Thomas gaat zonder woorden naast haar zitten.

Fia begint te huilen. Thomas legt zijn armen om haar heen en laat ook zijn tranen de vrije loop. Ze hebben alle twee verdriet, maar kennen elkaars verdriet niet. Thomas weet niet wat Fia heeft meegemaakt en Fia weet niet wat Thomas doormaakt nu hem alles uit handen is geslagen. Ze hebben alleen elkaar nog en hun kinderen, maar als er zo'n groot verdriet is, denk je daar niet aan. Bij Fia komt het verleden naar boven en ze ziet het gezicht van Wibe zo duidelijk dat ze zachtjes zegt: 'Nee, Wibe... nee, jij was geen brandstichter zoals mijn zoon...'

'Waar heb je het over?' vraagt Thomas.

'Nee... nee, het is niks...' antwoordt Fia.

'Laten we maar naar bed gaan... we hoeven morgen niet naar de zaak... alles is verbrand. Het is verschrikkelijk... wat kunnen mensen toch gemeen zijn. Wij hebben altijd zo eerlijk mogelijk geprobeerd zaken te doen... waarom moeten ze mij dit afnemen?' snikt Thomas.

Zonder antwoord te geven staat Fia op, gaat naar boven en kruipt in bed.

Thomas volgt haar, nadat hij eerst wat sterke drank heeft gedronken om snel in slaap te vallen, zodat alles op een boze droom lijkt.

11

De technische dienst van de politie doet een onderzoek naar het ontstaan van de brand en ontdekt dat er benzine is gebruikt. Er zijn resten gevonden die nog naar benzine ruiken. Dezelfde dag nog komt er iemand van de politie bij Thomas en Fia. Thomas, die niet erg te spreken is, zegt: 'Het maakt mij niet uit wie het gedaan heeft. Jullie doen je werk maar, maar het maakt mij niks uit wie het gedaan heeft.'

'Als ik u was, zou ik maar niet zo praten... U hoort ook bij de verdachten,' zegt de agent.

'Ik, een verdachte? Dacht u nu echt dat ik mijn eigen bedrijf in de fik steek!?' vliegt Thomas op.

'U zou de eerste niet zijn. De verzekering betaalt wel,' antwoordt de agent.'

'O ja... nu begrijp ik het, dan weet u zeker niet dat ik niet verzekerd ben, dat is tegen mijn principe. Dus maakt u zich daar niet druk over,' antwoordt Thomas.

'Toch is er brand gesticht... wie heeft daar belang bij?'

'Dat moet u mij niet vragen, dat kunt u beter vragen aan die lui die belang hebben bij de grond waar mijn bedrijf op staat.'

'Hoe bedoelt u?'

'Ik wilde niet verkopen. Nu hebben ze het mooi voor elkaar. Ze hoeven alleen de kale grond nog maar te kopen.'

'Waarom wilde u niet verkopen?'

'Omdat mijn vader dit bedrijf heeft opgebouwd en ik mij daar zomaar niet laat wegjagen door een paar handelaren en projectontwikkelaars die er met nieuwbouw willen beginnen. Ze breken tegenwoordig de halve stad af voor appartementen en kantoorgebouwen,' zegt Thomas kwaad.

'Maar daar is toch niks mis mee?' zegt een van de agenten.

'Daar is heel veel mis mee. Wij hadden daar een prachtig kantoor, maar daar wordt tegenwoordig niet meer naar gevraagd. Ze moeten en zullen hun zin krijgen, die projectontwikkelaars en die zakenlui die er belang bij hebben en bevriend zijn met de gemeente. Ze weten de weg en proberen alles op te kopen voor een prikkie,' legt Thomas uit.

'Maar u kunt toch zelf een prijs bepalen.'

'Dat dacht u. Wie geeft er nou de waarde van een pand als het een slooppand is geworden?'

'Als die lui veel verdienen aan de nieuwbouw, zullen ze u ook wel een goede prijs geven, neem ik aan.'

'Ook al geven ze het dubbele van de waarde. Ik ga daar nóóit weg en ze moeten niet denken dat, nu het pand afgebrand is, ze de grond kunnen kopen. Die grond is van mij en blíjft van mij!' schreeuwt Thomas.

'Rustig, meneer, wij hebben daar niks mee te maken. Wij willen alleen maar weten wie er belang heeft bij die brand. U valt erbuiten als u niet verzekerd bent tegen brand, dan moeten wij zoeken naar iemand die er wel belang bij heeft,' antwoordt de agent.

'Dat zoekt u zelf maar uit. Daar hoef je echt geen speurneus voor te zijn,' antwoordt Thomas.

Fia is stil en kijkt bezorgd naar de agenten.

'U weet echt niet wie er belang bij heeft?'

'Ik zeg toch dat u dat zelf moet uitzoeken. Ze hebben mij alles afgenomen en als ze het niet in de fik hadden gestoken, werd het wel gesloopt volgens de gemeente.'

'Dat is zo, ja,' geeft de agent toe.

'Waar maakt u zich dan druk over?'

'Ze kunnen zomaar niet een kantoorpand in brand steken,' antwoordt de agent.

'Jullie doen je best maar, maar ze moeten niet denken dat ik die grond zomaar verkoop. Het is míjn eigendom. Misschien moet u wel zoeken onder uw eigen mensen,' zegt Thomas dan kwaad.

'U wilt toch niet zeggen dat de gemeente...?'

'Ik zeg niks.'

'Jawel... u maakt wel verdachtmakingen.'

'U weet maar half hoe slim die lui zijn, als ze eenmaal ergens hun tanden in hebben gezet, dan bijten ze je dood, reken daar maar op!'

De twee agenten staan op, geven hun een hand en gaan weg.

Als ze weg zijn, slaat Thomas met zijn vuist op de tafel en schreeuwt: 'Heb ik het niet gezegd!'

'Wat bedoel je?' vraagt Fia angstig.

'Je weet heel goed wie ik bedoel, die vuilak!'

'Verdenk jij iemand?'

'Doe niet zo onnozel!'

Fia geeft geen antwoord. Ze is bang dat haar man zal ontdekken dat hun zoon het heeft gedaan.

Thomas kijkt Fia aan en zegt: 'Tom komt hier niet meer binnen. Begrepen?'

'Wat heeft Tom ermee te maken?'

'Hij werkt bij die kerel...'

'Je gelooft toch niet dat de vader van Anja zoiets doet?'

'Wie anders?'

'Misschien kwajongens. Het gebeurt weleens vaker dat

ze panden in brand steken die op de slooplijst staan bij de gemeente,' antwoordt Fia voorzichtig.

'Dan hebben ze daar opdracht voor gekregen. Ons pand zag er niet uit als een slooppand. Bij een pand dat leegstaat kan ik dat nog begrijpen, maar hier zijn zakenlui bezig geweest. Ze weten dat ik niet wil verkopen.'

'Toch mag je zoiets niet zeggen als je het niet kunt bewijzen,' zegt Fia.

'Dat zoeken die lui van de politie maar uit, maar dat mijn eigen zoon daaraan meewerkt, dat maakt mij woest!' schreeuwt Thomas.

'Wie zegt dat Tom hier wat mee te maken heeft?'

'Tom wil ook dat ik verkoop aan zijn baas.'

'Maar daarom kun je hun niet de schuld geven...'

'Waarom gaat hij bij die kerel werken en niet bij zijn eigen vader?'

'Hij heeft verkering met Anja, de dochter van zijn baas.'

'Dus dat vind jij normaal?'

'Nee, ik had ook graag gehad dat hij bij ons werkte.'

'Hij heeft zijn studie aan de kant gezet en werkt voor zo'n handelaar in onroerend goed. Die lui hebben geen papieren, maar kopen alles op wat los en vast zit en verkopen het door aan projectontwikkelaars of bouwbedrijven. Wij makelaars worden zomaar aan de kant gezet en daar werkt mijn zoon aan mee.'

'Dat heb je aan jezelf te danken, Thomas...'

'Wat zeg jij nou?'

'Ze hebben je genoeg gewaarschuwd... ook Tom. Je had ons pand allang moeten verkopen. Je had zelfs als makelaar mee kunnen werken aan de verkoop van winkels, kantoren en appartementen. Dan had je ook een goed project gehad, samen met die projectontwikkelaar. Je wilde of durfde het niet. Je bent stil blijven staan, Thomas. Nu verkoopt een andere makelaar die gebouwen,' zegt Fia eerlijk.

'Welja... begin jij ook maar. Je weet heel goed dat ik met zulke lui geen zaken doe. Je ziet nu zelf hoe ver die lui gaan. Verkoop je niet, dan steken ze gewoon de boel in brand,' antwoordt Thomas fel.

'Dat weet je niet en mag je ook niet zeggen,' zegt Fia die wel beter weet, maar haar zoon wil beschermen.

Thomas gaat naar boven, waar hij een klein kantoor heeft en sluit zich daar op.

Fia weet niet wat ze doen moet. Ze weet dat haar man gelijk heeft. Tom heeft in opdracht van zijn baas hun kantoorpand in brand gestoken. Hoe kon Tom toch zo ver komen... hun eigen zoon... Ze gaat voor het raam zitten en er lopen tranen over haar wangen. Gebeurt hier niet hetzelfde als vroeger bij haar thuis? Maakt Tom nu niet hetzelfde mee als zij toen ze nog jong was en met Wibe ging en alles voor hem overhad? Ze hield zo veel van Wibe, dat ze haar ouders ongehoorzaam was. Ze had alles voor hem over. Ze was vaak bij hem thuis. Alleen zijn moeder leefde nog en hij was haar enige zoon. Hij zorgde voor haar en het landgoed en dan hadden ze nog een vleesfabriek in de stad. Ze was verliefd op hem en niet op zijn rijkdom, zoals haar ouders en anderen dachten. Ze zou het nooit uitgemaakt hebben als niet dat vreselijke was gebeurd. Haar zusje kwam om in de vuurzee. Hun boerderij werd getroffen door een blikseminslag. Het was Gods oordeel volgens haar ouders. Ze heeft het uitgemaakt. Wibe was er helemaal kapot van. Hij probeerde met haar vader te praten die hem wegjoeg als een hond. In het begin stond hij haar vaak op te wachten als ze uit kantoor kwam.

Ze móést het uitmaken. De pijn over de dood van haar zusje en het oordeel waar haar ouders over spraken, wonnen het van hun liefde. Was dat wel zo? Moet ze niet vaak terugdenken aan Wibe en zijn liefde? Diep in haar hart is een klein vonkje blijven branden. Ze wil het doven, maar kon dat zelf niet... ze was bang dat het vonkje over zou slaan in een vlam die haar in brand zou zetten. Ze heeft er al die jaren voor moeten vechten en was blij dat Wibe het opgaf en dat zij hoorde dat hij vertrokken was naar Canada. Ze zou hem nooit meer zien of ontmoeten. Hij bleef haar schrijven. Ze heeft nooit een brief beantwoord. Hij moet wel veel van haar gehouden hebben...

Waarom moet nu alles weer naar boven komen? Ze hebben alles verzwegen voor hun kinderen. Het zou alleen maar pijn doen en zeker voor Thomas. Hij wilde nooit over die brand praten. Hij wist van haar eerste liefde voor een jongen die niet naar de kerk ging en er andere normen en waarden op nahield dan zij, kerkmensen...

Wat schrok ze toen Tom haar vertelde van die brand die hij gesticht had, maar nog erger toen hij zei dat de vader van Anja hem alles verteld had over vroeger en dat Wibe de boerderij van haar ouders in brand had gestoken. Toen Tom dat zei heeft ze hem een klap in het gezicht gegeven. Hoe kunnen mensen iets wat dertig jaar geleden gebeurd is opnieuw in het nieuws brengen? Heeft ze vroeger wel de juiste keuze gemaakt? Als ze nu eens net als haar zoon die kiest voor zijn meisje en niet naar zijn ouders luistert... Had ze toch voor Wibe moeten kiezen? Hield ze wel echt van Thomas? Ze zijn al bijna dertig jaar met elkaar getrouwd en hebben twee kinderen. Thomas was een knappe jongeman. Alleen wat stijfjes en stug... heeft ze het dan toch verkeerd gedaan? Had ze met Wibe mee moeten gaan naar Canada? Hij wilde hier weg, dan konden ze daar een nieuw leven beginnen. Ze ziet vaak die bruine ogen die haar zo smekend aankeken en ze voelt vaak de warmte in haar hart die nooit echt over is gegaan... kun je dan van twee mannen houden... nee, dat is niet goed. Thomas is haar man... Ze heeft nu eenmaal voor hem gekozen... maar was het wel de keuze van haar hart... of van haar verstand...?

Zo piekert Fia. Ze kijkt naar de telefoon: Nee... nee, niet doen...

De laatste tijd zou ze zo graag eens willen bellen naar het landhuis. Ze weet dat Wibe er niet zal zijn, want die is al jaren in Canada en komt maar een keer in het jaar zijn moeder opzoeken. Ze weet dit van een vriendin, die op het kantoor van de vleesfabriek in de stad werkt. Daar komt Wibe ook elk jaar. Ze is door haar vriendin overal van op de hoogte. Ze had liever dat haar vriendin haar niets vertelde, want nu is de begeerte om te bellen en alleen maar even zijn stem te horen nog groter. Een keer kon ze de verleiding niet weerstaan en kreeg ze zijn moeder aan de lijn. Ze loog dat ze verkeerd was verbonden.

Opnieuw kijkt ze naar de telefoon... waarom praat ze niet eens gewoon met zijn moeder en vraagt hoe het met haar gaat... Zou ze haar nog kennen van vroeger? Zijn moeder is zeker al tegen de tachtig.

Weer gaan haar ogen naar de telefoon en ineens pakt ze de hoorn om een gesprek aan te gaan met Wibes moeder. Die was toen altijd zo lief en vriendelijk voor haar... Maar is het er haar niet vooral om te doen iets over Wibe te horen? Ze heeft klamme handen. Ze is het telefoonnummer nooit vergeten en toetst het nummer in: 'Hallo... met

Wibe Lans?' zegt een mannenstem. Fia trekt wit weg en laat de hoorn langzaam zakken. Ze hoort nog: 'Hallo... hallo, met Wibe Lans...?'

Ze legt voorzichtig de hoorn terug op het toestel en gaat zitten. Het was dezelfde stem... de stem van dertig jaar geleden die haar lieve woorden influisterde... een stem die ze uit duizenden zou herkennen. Ze hoort haar hart bonzen. Het zweet staat op haar voorhoofd.

Als hij nu maar geen nummermelder heeft, dan weet hij wie er gebeld heeft en belt hij misschien terug. Hij zal wel getrouwd zijn en zijn vrouw is er misschien ook wel... hoe komt ze toch zo... wat is er de laatste tijd toch met haar aan de hand... Dit is niet goed. Zij is een getrouwde vrouw van bijna vijftig jaar... ze moet dat verleden laten rusten... Zou het allemaal komen door haar zoon Tom die haar vroeg waarom ze nooit eerlijk over het verleden heeft gesproken met haar kinderen? Het was een soort taboe... ook haar ouders wilden er niet over praten. Het kwam allemaal door die vreselijke brand.

Op dat moment gaat de telefoon. Ze neemt hem niet op. Ze is bang dat het Wibe is.

Ze hoort Thomas boven de telefoon opnemen. Als het Wibe is en hij vertelt dat zij gebeld heeft, wat dan?

Even later komt Thomas naar beneden en vraagt: 'Waarom nam je de telefoon niet op?'

'Ik was bezig,' liegt Fia.

'O...'

'Wie was het?'

'Wil...'

'Wil... wat moest zij?'

'Tom is bij haar geweest... er doet een vreemd verhaal de ronde.'

'Wat voor verhaal?'

'Dat die… je weet wel, die vent waar jij vroeger mee ging, dat hij wat te maken heeft met de brand.'

'Wat voor brand?'

'Van ons kantoor.'

'Maar dat geloof je toch zelf niet?'

'Nee… nee, waarom zou hij het doen en ik dacht dat hij in Canada zat.'

'Wist Wil van Wibe en de brand van vroeger?'

'Nee… ze wilde er met ons over praten… Tom heeft haar het een en ander verteld.'

'Maar hoe weet Tom het…?' vraagt Fia onschuldig.

'Van Anja's vader… die kerel heeft het op ons voorzien en brengt nu roddel over ons op straat. Wil was kwaad dat ze alles over jouw verleden van een vreemde moest horen en wil er met jou over praten,' antwoordt Thomas wat verdrietig.

12

Fia en Thomas leven in een huis, maar ze lijken vreemden voor elkaar. De zorgen worden steeds groter. Thomas is zwaar overspannen, maar wil dat voor zichzelf en de anderen niet weten. Iedereen heeft het gedaan, behalve hij.

'Wat moet ik nou?'

'Thomas, je moet gewoon die grond verkopen aan de vader van Anja en ergens een kantoor huren, die man wil je helpen.'

'Ja... eerst het pand in de fik steken en dan de grond opkopen voor een projectontwikkelaar!' schreeuwt Thomas door het huis.

'Dat kun je niet bewijzen.'

'Het ligt er toch dik bovenop. Hij belde mij gisteren of ik nog met hem wilde onderhandelen. Ik vroeg hem of hij iets van de brand afwist, maar hij zei keihard: "Oké, als ik het gedaan zou hebben, dan zit je daar alleen maar goed mee. De verzekering betaalt het pand dat afgebrand is wel en je verkoopt de grond aan mij. Dan kunnen wij die puinhoop opruimen en kan ik een aannemer zoeken die gaat bouwen en jij mag die appartementen verkopen. Je bent toch een makelaar of vergis ik me?" Dat gooide hij naar mijn hoofd. Het is een... ik weet het niet meer!' schreeuwt Thomas tegen Fia.

'Je moet je niet zo aanstellen. Heb je gezegd dat je het pand niet verzekerd had tegen brand?'

'Ja, hij lachte zich rot en zei, dat ik dan maar snel de grond aan hem moest verkopen voordat de gemeente het onteigent en ik er niet veel meer voor krijg.'

'Nou, dan verkoop je toch gewoon. Wat heb je aan grond waar je niets mee kunt doen en waar nieuwbouw komt,' zegt Fia.

'Jij bent al net als die lui. Ik sta er alleen voor. Jullie laten mij in de steek. Jij en je zoon doen net of het de gewoonste zaak van de wereld is. Tom woont samen met die dochter van hem en jij doet net of er niks aan de hand is,' zegt Thomas.

'Wat moet ik ertegen doen?' zegt Fia, die eraan denkt dat, toen Tom thuiskwam en haar bekende dat hij de brandstichter was, zij hem een klap in het gezicht heeft gegeven omdat haar jeugdliefde Wibe hun boerderij in brand zou hebben gestoken. Dit kan ze toch moeilijk aan haar man vertellen.

'Tom heeft groot gelijk dat hij bij een ander werkt,' zegt Fia dan.

'Had ik het niet gedacht. Jij bent niks veranderd... hij is net als zijn moeder.'

'Wat wil je daarmee zeggen?'

'Jij was vroeger ook geen lieverdje en ging ook met zo'n figuur.'

'Wat bedoel je met zo'n figuur?' vraagt Fia geschrokken.

'Die vrijer van vroeger, die Wibe.'

'Daar wil ik niets over horen...'

'Nee, dat begrijp ik.'

'Thomas, je weet dat ik je nooit ontrouw ben geweest.'

'Dat zeg ik niet... daar begin je nu zelf over,' zegt Thomas als hij ziet dat zijn vrouw geschrokken is toen hij over Wibe begon.

'Je moet het verleden laten rusten.'

'Doe jij dat ook, vraag ik mij weleens af?'

'Wat wil je daarmee zeggen?'

'Dat die vent nog steeds in je gedachten leeft.'

'Nu ga je te ver, Thomas.'

'Waarom schrok je dan zo?'

'Man, je maakt mij gek... je weet niet meer waar je over praat.'

'Waarom mochten wij er nooit met de kinderen over praten? Ze wisten niet eens van die brand van vroeger bij jullie thuis.'

'Waarom moesten ze dat weten?'

'Omdat jij een zusje hebt verloren. Het is niet normaal als je dat heel je leven verzwijgt,' antwoordt Thomas kort.

'Thomas, ik begrijp dat je wat overspannen bent door die brand en dat de zaken niet goed lopen en dat je nu dingen zegt die je anders niet zou zeggen.'

'Je hield toch van die vent?'

'Daar zouden wij nooit meer over praten en je weet heel goed dat mijn ouders dat ook niet wilden, omdat zij op een verschrikkelijke manier een kind verloren hebben.'

'Ze gaven jou de schuld omdat je met die vent ging. Zo was het toch?'

'Ze zagen het als een straf van God en daarom heb ik het toen uitgemaakt, omdat ik het niet kon dragen. Ik wilde de dood van mijn zusje niet op mijn geweten hebben.'

'Je ouders deden dat, omdat je niet naar hen luisterde en toch met hem omging.'

'Daar heb je gelijk in... maar moet dat nu dan allemaal opnieuw opgerakeld worden?'

'Als de kinderen er nu mee aankomen, moet je wel.'

'Dan zal ik hun ook eerlijk alles vertellen.'

'Dat durf je niet... je wilt niet weten... ach, laat ik maar niet verder gaan,' zegt Thomas met een gemene lach op zijn gezicht.

'Zeg op, wat wilde je nog meer zeggen?' zegt Fia die merkt dat Thomas meer weet.

Thomas staat op, kijkt zijn vrouw aan en antwoordt: 'Die Sander Terloop vertelde mij dat hij alles wist van vroeger van de brand bij jullie thuis en misschien ook wel van de brand in ons kantoor.'

'Hoe bedoel je dat?' vraagt Fia geschrokken.

'De brand bij jullie thuis moet die vriend van jou op zijn geweten hebben. Het was geen blikseminslag. Hij heeft toen gebruik gemaakt van dat onweer. Hij had een vreselijke hekel aan je ouders en wilde jou hebben. Nu heeft hij na bijna dertig jaar ons kantoor als wraak in brand gestoken, omdat je met mij bent getrouwd.'

'Thomas... Thomas...' meer kan Fia niet zeggen. Ze ziet bleek van schrik.

'Daarom mocht jij niet meer met hem gaan... jij hebt dat altijd geweten en daarom heb je het uitgemaakt. Hij had de dood van je zusje op zijn geweten. Hij was de zoon van een groot landheer en fabrikant. Het was een straf van God werd er door jouw ouders gezegd. Ze wisten wel beter en waren blij dat die landheer de schade van de brand betaalde.'

Fia trekt opnieuw wit weg en kijkt haar man met open mond aan. Ze draait zich om, loopt naar de hal, trekt haar jack aan en loopt de deur uit.

'Fia...!' roept Thomas haar achterna.

Ze stapt in de auto en rijdt weg. Haar ogen staan vol met tranen. Ze geeft gas, neemt een bocht op een smalle weg en vliegt met een klap tegen een lantaarnpaal.

Als Fia in het ziekenhuis bijkomt, is ze nog erg suf. Ze ziet mensen in witte kleding naast haar bed staan en vraagt om water. Een vriendelijke stem vraagt: 'Gaat het wat beter?'
Fia voelt aan haar hoofd. Er zit een verband.
'Heeft u hoofdpijn?'
Fia geeft geen antwoord. Ze herinnert zich nu alles weer en laat haar tranen de vrije loop.
'Het komt heus wel weer goed... u moet niet verdrietig worden,' zegt de verpleegster naast haar bed.
Fia schudt haar hoofd.
'Het gaat heel goed met u. U heeft maar een kleine wond... het had veel erger kunnen zijn,' zegt de verpleegster terwijl ze haar hand op haar arm legt.
'Misschien was het beter geweest als ik er niet meer was...' antwoordt Fia met zachte stem.
Als de verpleegster weg is, gaan haar gedachten naar Thomas en beleeft ze opnieuw wat hij over Wibe en haar vertelde. Het kan toch niet waar zijn? Nee, ze liepen samen op de dijk in die zware onweersbui, die zomaar opkwam. Ze ziet het, alsof ze het opnieuw beleeft. Wibe gaf haar zijn jas. Ze had het koud en toen was daar, in de verte, die blikseminslag en daarna die brand... nee, Wibe kan het nooit gedaan hebben en ook het makelaarskantoor van Thomas heeft hij niet in brand gestoken, dat heeft immers Tom gedaan. Hij heeft het haar bekend. Hun eigen zoon. Ze zal alles aan Thomas vertellen als hij haar komt opzoeken.

Fia ligt op een kamertje voor twee personen. Naast haar ligt een oude vrouw. Ze vraagt: 'Gaat het al wat beter met u, mevrouw?'
Fia merkt dat de vrouw ernstig ziek is. Ze is erg vermagerd en oud.

Het is bezoekuur. Tom en Wil komen haar opzoeken.

'Ma, ma, wat is er nou toch gebeurd? Waarom?' vraagt haar dochter ongerust.

Fia kan geen antwoord geven. Tom schuift het gordijn dicht tussen de twee bedden, als hij ziet dat er een man met de rug naar hen toe zit bij de oude vrouw.

Dan zegt Tom fluisterend: 'Ma, ik heb alles tegen pa gezegd.'

'Wat heb je gezegd?' vraagt Fia terwijl ze haar tranen droogt.

'Dat ik brand op kantoor heb gesticht...'

'O... en wat zei je vader?'

'Hij was woest en wilde niet verder praten.'

'Waarom bent u kwaad weggegaan?' vraagt haar dochter Wil.

'Dat kun je beter aan je vader vragen,' antwoordt Fia haar dochter.

'Hij heeft mij alles over vroeger verteld.'

'Wat heeft hij verteld?'

'Dat weet u heel goed, ma. Eigenlijk ben ik nog boos op u. Waarom heeft u ons nooit iets verteld over de brand bij opa en oma en dat u een zusje heeft gehad dat toen is omgekomen?'

'Dat zou niet goed voor jullie zijn geweest... mijn ouders wilden het liever niet. Het lag allemaal te gevoelig voor ons,' antwoordt Fia.

'Zeker omdat u toen een vriend had, die nergens aan deed en waarschijnlijk de boerderij van opa en oma in brand heeft gestoken, omdat hij niet met u mocht gaan en u het uit moest maken.'

Fia geeft geen antwoord. Er lopen tranen over haar wangen.

'Dus het is waar?' vraagt Wil.

Fia knikt.

'Waarom moest het dan geheim blijven en horen wij alles van vreemden?'

'Dat weet ik niet... het ligt allemaal zo gevoelig,' antwoordt Fia opnieuw.

'Houdt u wel echt van pa? U hield toch van die zogenaamde landheer? Was pa te min voor u?'

Fia schudt haar hoofd en zegt: ' Nee, toen ik met... die ander ging... kende ik je vader nog niet goed. Ik werkte alleen maar bij zijn vader op kantoor. Toen ik het uit had gemaakt met die ander, leerde ik je vader beter kennen...'

'Toch was het niet goed van u, dat u ons nooit verteld heeft van uw zusje, dat is omgekomen bij die brand.'

Fia draait zich om en snikt: 'Het spijt mij... gaan jullie nou maar... ik wil rust...'

'Nou ja...' zegt Wil terwijl ze weggaat zonder afscheid te nemen van haar moeder.

Tom legt zijn hand op de arm van zijn moeder en fluistert: 'Ma... ma, ik houd van u en ik kan u goed begrijpen...'

Fia knikt alleen maar.

Tom gaat dan ook weg.

Dan hoort Fia een stem achter het gordijn, dat Tom heeft dichtgeschoven tussen de twee bedden.

Een man komt achter het gordijn vandaan.

Hij kijkt Fia aan.

'Wibe... Wibe, ben jij het...?'

'Ja... ja, Fia...'

'Maar hoe kom jij hier...?'

'Mijn moeder ligt naast je.'

'Dan heb je zeker alles kunnen horen?'

'Neem het mij niet kwalijk, Fia, maar dat móést ik gewoon wel horen en het was voor mij een stukje uit het verleden... het verleden dat nooit echt verleden is geworden...' antwoordt Wibe met een stem vol emotie.

'Hoe... waar kom je vandaan...?' vraagt Fia wat in de war.

'Gewoon van thuis. Ik woon al een tijdje bij mijn moeder... ze is pas opgenomen in het ziekenhuis.'

'Maar je woonde toch in Canada?'

'Dat klopt, ja... maar mijn moeder werd ernstig ziek en is alleen,' fluistert Wibe, terwijl hij naast haar gaat zitten.

'Ja... ja, dat is zo...'

'Wat is er met jou gebeurd dat je hier ligt?'

Fia kan zich niet langer goedhouden en drukt haar gezicht in het kussen en snikt: 'Het is allemaal zo moeilijk geworden...'

Wibe pakt haar hand en fluistert: 'Fia, wat heb ik vaak verlangd om die hand vast te mogen houden. Ik weet dat je getrouwd bent en kinderen hebt en heb er geen recht op om je hand vast te houden, maar ik doe het toch, omdat ik weet dat onze liefde, onze jeugdliefde echt was. Nooit heb ik meer echt lief kunnen hebben... jij was mijn Fia... mijn grote liefde.'

Fia kijkt hem nu met ogen die vol met tranen staan aan en knikt alleen maar.

'Ben je erg gewond?'

'Het valt wel mee...'

'Is je man nog niet bij je geweest?'

'Nee...'

'Ik heb het van je kinderen gehoord.'

'Wat heb je gehoord?'

'Je dochter was kwaad op je omdat jullie alles voor hen hebben verzwegen.'

'Het lag te gevoelig tussen ons en mijn ouders.'

'Omdat je zusje omkwam tijdens die vreselijke brand?'

'Ja...'

'Hoe gaat het met de zaak van je man?'

'Heb je gehoord van die brand?'

'Ja.'

'Hij is zo eigenwijs...'

'Wat betreft het zakendoen?'

'Ach, in alles... ik ben kwaad bij hem weggelopen...'

'Waarom?'

'Hij begon weer over vroeger. Er gaat een praatje, nu de zaak van mijn man is afgebrand, dat jij vroeger ook achter die boerderijbrand zat en nu wraak wilde nemen op mijn man, door onze zaak in brand te steken...'

'Hoe komen ze daarbij?'

'Mijn zoon werkt bij een zakenman, die belang heeft bij de grond van het pand.'

'Dus gaat hij wat leugens verzinnen om je man op stang te jagen?'

'Mijn zoon heeft bekend dat hij het heeft gedaan...'

'Fia, wat een problemen heb je...'

'Ja... en vaak komt het door het verleden...'

'Geloof je nog steeds dat het een straf van God was, net als je ouders vroeger?'

'Soms wel... maar dan heel anders dan toen.'

'Leg eens uit...'

'Die brand was geen straf van God omdat ik met jou ging en ongehoorzaam was aan mijn ouders...'

'Wat dan?'

'Dat ik het uit moest maken met jou... dat was een straf

van God...' antwoordt Fia met een zachte stem.

'Je bedoelt dat je het voelde als een straf van God?'

'Het heeft heel mijn leven beïnvloed...'

'Dus bij jou ook?'

'Ik was niet echt los van je... ik had het nooit uit mogen maken... ik heb je veel pijn gedaan.'

'Daar heb ik steeds een litteken van overgehouden en soms, zoals nu, doet dat litteken pijn. Het is ongeveer dertig jaar geleden... toch blijft er dat gemis... het is er heel mijn leven geweest...'

'Weet je vrouw ervan?'

'Ik heb geen vrouw...'

'Leeft ze niet meer?'

'Je zult het niet geloven, maar ik kon geen vrouw meer echt liefhebben... ik heb een tijdje bij een psychiater gelopen en die was gelovig en zo kwam ik toch in aanraking met God...'

'Geloof je in God en ga je naar de kerk?'

'Ja... in Canada ben ik tot geloof gekomen en daar alleen kon ik mijn rust in vinden. Hoewel het niet gemakkelijk was. Ik was erg opstandig tegen God. Als ik eraan dacht dat Hij de God van jouw ouders was en van jou, dan wilde ik niet meer in Hem geloven. Toch liet Hij mij zien, dat dit verkeerd was. Ik heb veel gebeden om je nog eens terug te mogen zien. Hij heeft mijn gebed verhoord. Hij bracht mij hier bij mijn moeder in het ziekenhuis en jij moest een ongeluk krijgen en naast haar komen te liggen. God is zo machtig en barmhartig. Altijd heb ik tegen Hem aangeschopt terwijl Hij altijd voor mij zorgde. Zonder die God was het nog echt verkeerd gegaan... ik zal het je nog wel een keer uitleggen...' zegt Wibe.

'Maar ik kan je niet meer ontmoeten... ik moet morgen weer naar huis...' zegt Fia bewogen.

'Je hoort nog wel van mij, Fia...' zegt Wibe terwijl hij snel weggaat omdat hij Thomas in de deuropening ziet staan.

13

Fia is alweer een week terug uit het ziekenhuis. Thomas en Fia praten alleen tegen elkaar als het nodig is.

De voordeurbel gaat. Fia doet open en ziet een grote Jeep voor de deur staan. Ze staat oog in oog met een man die haar vriendelijk aankijkt, zijn hand uitsteekt en zich voorstelt: 'Sander Terloop.'

'O… u bent de vader van Anja.'

'Dat heeft u goed,' antwoordt de man met een vlot lachje. 'Mag ik even binnenkomen?'

'Moet u mijn man spreken?'

'Als uw man thuis is?'

'Ja… komt u maar binnen…' zegt Fia aarzelend.

Ze gaat Sander Terloop voor en wijst hem een stoel in de woonkamer.

'U woont hier mooi, moet ik eerlijk zeggen.'

'Gaat wel, ja. Ik zal even mijn man roepen, die is boven bezig op zijn kantoor.'

'O… heeft hij tegenwoordig de zaak aan huis?'

'Dat moet hij wel na die brand,' antwoordt Fia kort.

Fia gaat naar boven en zegt dat er ene heer Terloop voor hem is.

'Is dat die kerel…?'

'Ja… het is de vader van Anja.'

'Wat moet die kerel van mij?'

'Dat kun je hem beter zelf vragen.'

'Goed…'

Thomas gaat naar beneden en ziet de man in een stoel zitten in de kamer.

Sander Terloop staat op, steekt zijn hand uit naar Thomas en stelt zich voor: 'Sander Terloop.'

'Wat komt u hier doen?' vraagt Thomas kort zonder hem een hand te geven.

'Zaken doen...'

'U weet dat ik geen zaken met u doe!'

'Waarom doet u zo tegen mij? We kunnen toch wel als twee volwassen mannen met elkaar praten. In de toekomst worden we misschien wel familie van elkaar,' lacht Sander Terloop vriendelijk.

'Hoe bedoelt u?'

'Mijn dochter Anja heeft verkering met uw zoon Tom, dat weet u toch, neem ik aan?'

'Dat is tegen onze zin en daar wil ik niks mee te maken hebben,' antwoordt Thomas. Thomas heeft het liefst dat die man zo snel mogelijk vertrekt. Hij mag deze man niet met zijn gluiperige oogjes, zijn ongeschoren gezicht en vette lange haar.

Fia komt binnen en vraagt of ze koffie willen. Voor Thomas antwoord geeft zegt Sander Terloop: 'Graag mevrouw, dat praat wat gemakkelijker.'

Fia verdwijnt naar de keuken en Sander gaat weer in de stoel zitten waar hij in zat. Thomas blijft staan en vraagt: 'Over welke zaken wilt u praten?'

Sander Terloop haalt uit zijn binnenzak een stuk papier, geeft het aan Thomas en vraagt gelijk: 'Is dit niks voor u? Leest u het maar rustig en hier heb ik een foto van het pand,' zegt Sander Terloop.

Thomas leest het papier en gaat ook zitten.

Fia komt met de koffie binnen.

'Kijk eens aan... koffie wil er altijd in. Dank u wel, mevrouw. Gaat het al wat beter met u?'

'Met mij?'

'U heeft toch een paar dagen in het ziekenhuis gelegen.'

'O ja...'

'Auto-ongeluk?' vraagt Sander Terloop terwijl hij een slok koffie neemt.

'Ja, het was een auto-ongeluk...' antwoordt Fia wat verlegen.

'U bent er aardig van afgekomen hoorde ik van Tom.'

'Ja... dat wel.'

Thomas kijkt Sander Terloop aan en voelt zich niet op zijn gemak bij deze vlotte zakenman die van niks een groot zakenman is geworden. Dat zie je deze man overigens niet aan met zijn versleten spijkerbroek en leren jack en dat ongeschoren gezicht met die vette lange haren. Is deze man wel te vertrouwen? Hij moet denken aan de brand in zijn kantoor die zijn zaak heeft vernield.

'U bent wel erg brutaal,' zegt Thomas, terwijl hij het papier op tafel legt en zijn kopje koffie pakt.

'Hoe bedoelt u?' vraagt Sander Terloop, terwijl hij nog een slok koffie neemt en Thomas over zijn kopje heen aankijkt.

'U weet heel goed wat ik bedoel,' antwoordt Thomas.

'Nee... dat weet ik niet. Ik kom hier eerlijke zaken met u doen,' antwoordt Sander nu wat kort.

'Vindt u dit eerlijk zaken doen?'

'Wat is er mis mee?'

'Eerst de boel bij mij in de fik steken en dan de grond opkopen en mij een ander kantoorpand aansmeren!' vliegt Thomas op.

'Ik smeer u niks aan. Ik ben een zakenman en wil u uit het moeras trekken. U staat er slecht voor en moet nu eens uw verstand gebruiken,' zegt nu ook Sander Terloop wat fel.

'U had ons met rust moeten laten,' antwoordt Thomas rustig, nu hij ziet dat deze man ook kwaad kan worden. 'Ik ben een eerlijk zakenman en weet heel goed wat ik doe.'

'Waarom moet het allemaal op deze manier gaan?' vraagt Thomas.

'Ik weet niet waar u heen wilt.'

'Die brand is in opdracht van u gesticht,' zegt Thomas, terwijl hij de man recht aankijkt

'U durft heel wat te zeggen.'

'Mijn zoon heeft ons alles eerlijk verteld.'

'Ook dat hij zelf de fik erin heeft gestoken?'

'In opdracht van u.'

'Oké... u zegt het. Het blijft wel staan dat uw eigen zoon uw kantoor in brand heeft gestoken, dat staat vast. Wie uw zoon zover heeft gebracht, daar gaat het nu niet om. Als u nu besluit om met mij in zee te gaan, geef ik u een behoorlijke kans om als makelaar weer op uw pootjes terecht te komen. Dat pand dat afgebrand is zou toch vandaag of morgen weg moeten.'

'Als u denkt dat ik zonder u niet verder kan, dan zit u er mooi naast. Er zijn wel anderen die graag de grond kopen waar mijn kantoor heeft gestaan en ik heb voorlopig helemaal geen behoefte aan een ander kantoor. Dit huis is groot genoeg om er een makelaarskantoor van te maken,' antwoordt Thomas fel.

'Oké, zoals u wilt. Ik wilde u alleen maar helpen en ik doe dat niet alleen voor mijzelf, maar ook voor de kinderen. Uw zoon is een prima zakenman. Hij heeft al heel wat panden voor mij opgekocht en doorverkocht. Jammer dat u niet met ons wilt samenwerken. Het zou mooi voor onze kinderen zijn. Die twee zijn knettergek op elkaar,' zegt

Sander Terloop, terwijl hij naar Fia kijkt die de papieren aan het lezen is. Zij zegt: 'Thomas, het is eigenlijk helemaal niet zo gek. Je krijgt een mooie prijs voor het oude pand en ook dit pand kunnen we kopen voor een mooie prijs of huren van meneer Terloop.'

'Ik doe geen zaken met meneer Terloop,' antwoordt Thomas, terwijl hij opstaat en de kamer uitgaat.

In plaats van dat Sander Terloop ook opstaat, kijkt hij Fia met een glimlach op zijn gezicht aan en zegt: 'Ik ben ongeveer van dezelfde leeftijd als jullie en kom uit dit stadje en ken heel wat mensen van vroeger. Wist u dat uw vriend van vroeger weer terug is op zijn landgoed?'

Fia krijgt een kleur en dat bevalt Sander Terloop goed.

'U hoeft niet te schrikken. Ik ken uw verleden. U heeft een grote fout gemaakt in uw leven.'

'Wat bedoelt u daarmee?' vraagt Fia verbaasd.

'U had beter met die Wibe kunnen trouwen dan met zo'n onzakelijk iemand.'

'U weet niet wat u zegt!' antwoordt Fia fel.

'Jawel hoor... maak u er niet druk over... ik heb er niks mee te maken.'

'Maar u bemoeit zich wel met zaken die u niet aangaan en brengt roddelpraat over aan mijn kinderen!'

'Ik?'

'Ja u, en dat weet u heel goed.'

'Ik weet echt niet wat u bedoelt!'

'Dat Wibe vroeger de boerderij van mijn ouders in brand zou hebben gestoken en dat hij dat uit wraak zou hebben gedaan omdat ik van mijn ouders niet met hem om mocht gaan.'

'Nee mevrouw, daar weet ik echt niks van, daarvoor moet u bij een ander zijn...'

'En u zegt dat u er niks van afweet.'

'Nou ja, ik kan niet over mensen gaan praten die mij hun geheim toevertrouwen,' antwoordt Sander Terloop met een gemeen lachje op zijn gezicht.

'Wat zijn dat voor geheimen?'

'Weet u, ik ben een man van de wereld en kom nog weleens in het café voor een pilsje, maar ik weet hoe ver ik gaan kan wat drinken betreft. Er zijn van die lui die te veel drinken en dan verhalen over vroeger ophangen. Vooral de wat ouderen praten daar graag over en als je ze dan wat voert, dan komt er vaak heel wat van vroeger naar boven en hoor je verhalen die je oren doen klapperen.'

'Wat voor verhalen... wat heeft dat met Wibe en mij te maken?'

'Dus u weet wel dat hij op het ogenblik weer op het landgoed woont?'

'Ja...'

'Dus u heeft hem al ontmoet?' vraagt Sander Terloop met een glimlach op zijn gezicht.

'Zijn moeder ligt in het ziekenhuis...'

'Juist ja, dan klopt dat verhaal aardig. Zijn moeder lag naast u op de ziekenzaal.'

'Ja... ja, hoe weet u dat?'

'Wibe drinkt graag een borrel, dat kan geen kwaad. Een mens kan er goed van opknappen, als je maar weet hoe ver je gaan kunt,' antwoordt Sander Terloop terwijl zijn gluiperige oogjes lachen.

'Heeft u Wibe ontmoet?'

'Ja... en ik moet zeggen dat hij niet echt uit zijn nek kletst. Hij had u zeker zo'n dertig jaar niet meer gezien en was verbaasd dat u er na zoveel jaren nog zo aantrekkelijk uitzag.'

'Zulke dingen zegt Wibe niet. U liegt zoals u alles gelogen heeft over ons verleden en dat Wibe het pand van mijn man in brand heeft gestoken!' schreeuwt Fia tegen Sander Terloop, terwijl ze tegenover hem gaat staan.

'Rustig mevrouwtje... ik heb die verhalen niet verzonnen. U kunt beter een keer zelf gaan praten met Wibe om uw geheugen wat op te frissen,' zegt Sander Terloop, terwijl hij opstaat en haar een hand wil geven. Ze pakt die hand niet aan.

Sander Terloop kijkt haar aan en zegt: 'Doe uw man de groeten. Ik zal die papieren hier achterlaten, dan kunnen jullie erover nadenken en als u Wibe nog eens ontmoet, doe hem de groeten.'

Dan loopt Sander Terloop naar de hal en gaat de voordeur uit.

Fia blijft verstijfd van verdriet achter. Ze hoort de Jeep wegrijden. Zou hij echt Wibe gesproken hebben en zou Wibe zulke verhalen ophangen in de kroeg waar men tot diep in de nacht achter de bar hangt... nee, zo was Wibe niet. Hij vertelde haar dat hij tot bekering was gekomen in Canada. Zou die Sander Terloop dan zelf die verhalen verzinnen? Hij wist ook dat ze naast zijn moeder heeft gelegen in het ziekenhuis, maar dat kan hij natuurlijk ook van Tom hebben.

Dan gaat de kamerdeur open en staat Thomas voor haar. Hij ziet dat de papieren nog op tafel liggen, pakt ze en verscheurt ze terwijl hij zegt: 'Denk jij nu echt dat ik met zo'n kerel zaken doe? Die vent is gewoon niet te vertrouwen.'

Fia geeft geen antwoord. Ze is ergens anders met haar gedachten en het kan haar allemaal niks meer schelen wat Thomas doet of niet doet.

'Nou, wat sta je daar te dromen?' schreeuwt hij tegen haar.

'Ik... nee...'

'Wat hadden jullie over die Wibe?'

Fia kijkt haar man aan en denkt: zou hij dan alles gehoord hebben... 'Je hebt toch niet achter de deur staan afluisteren? Als je een kerel was, dan had je zaken gedaan. Je bent gewoon waardeloos en je doet maar alsof je doen kunt wat je wilt!' roept Fia dan overstuur.

'Ik maak zelf wel uit met wie ik zaken doe, maar zeker niet met een kerel die vuile handen heeft. Hij had beter achter de vuilniswagen bij de gemeente kunnen blijven. En ik wil over die Wibe niks meer horen. Jij moest je schamen als getrouwde vrouw en moeder van twee kinderen!'

'Je weet niet wat je zegt, Thomas.'

'De man, die bij jou aan het ziekenhuisbed stond, was toch die Wibe? Hij was niet op bezoek bij die vrouw naast jou. Hij kwam voor jou. Zeg het maar eerlijk!'

'Die vrouw was zijn moeder...'

'Mens, je hangt van leugens aan elkaar!'

'Ons hele gezin hangt van leugens aan elkaar. Het is al begonnen in onze jeugd en nu komen onze kinderen met vragen aanzetten.'

'Jouw ouders wilden het toch zo?'

'Nee, Thomas, jíj wilde je verleden vergeten.'

'Jij ook, vanwege je zusje. We hadden er toch gewoon over kunnen praten.'

'Thomas, er valt met jou niet te praten. Jij bent net als mijn ouders: als het maar in het straatje van de kerk past, dan kan het ermee door, maar geen streepje ernaast, dan is het zonde. Weet jij eigenlijk wel wat liefde is?'

'Je gaat te ver, Fia!'

'Nee Thomas... ik ga niet te ver. Jij kent de ware liefde niet tot je naaste en je bent nog wel ouderling. Je kunt niet eens je eigen gezin leiden. Hoe kun je dan bij anderen op bezoek gaan? Ons eigen gezin ligt overhoop. Denk jij daar weleens aan?'

'Het is begonnen met jou!' valt Thomas uit.

'Met mij?'

'Ja, met jou... ik wist allang dat die Wibe weer terug was in Nederland en op het landgoed.'

'Hoe weet jij dat?'

'Hij heeft mij vaak gebeld en wilde met je praten.'

'Dus daarom hoor ik niks meer van hem...?'

'Dus het is waar?'

'Wat?'

'Dat je nog gek van die vent bent en mij bedriegt!'

'Nee Thomas... dat zal ik nooit achter je rug doen,' antwoordt Fia eerlijk.

'Of je dat nu achter mijn rug doet ja of nee... daar gaat het niet om. Je bedriegt mij altijd al omdat je nog steeds van hem houdt na al die jaren van ons huwelijk.'

Fia buigt haar hoofd en haar armen hangen slap naast haar. Er lopen tranen over haar wangen.

Thomas pakt haar beet en schudt haar door elkaar terwijl hij schreeuwt: 'Zeg het dan!'

Fia geeft geen antwoord.

'Dus ik heb gelijk!'

Fia rukt zich los, draait zich om en loopt voorzichtig de trap op. Ineens begint alles te draaien en als ze bijna boven is, zakt ze in elkaar en blijft boven aan de trap liggen.

Thomas rent naar boven, tilt haar op en legt haar op bed. Hij maakt een washandje nat en gaat ermee over haar gezicht.

Ze opent haar ogen en fluistert: 'Thomas, je hebt gelijk... het is niet goed met ons... God vergeve het mij...'

'Houd je echt nog van hem, Fia?'

'Hij is nooit echt uit mijn leven geweest... ik weet zelf niet wat ik ermee aan moet...'

'Maar ik... wij horen toch bij elkaar?'

'Dat is zo, Thomas... ik ben je vrouw en zal dat blijven.' Dan sluit Fia van vermoeidheid en emotie haar ogen.

Thomas gaat opnieuw met het natte washandje over haar gezicht. Opnieuw opent zij haar ogen en zegt: 'Thomas, ik ben zo moe... laat mij maar even rusten...'

'Goed... goed, ik ga nog wat werk doen... als je mij nodig hebt, dan roep je maar. Ik ben hiernaast op mijn kantoor. Rust maar eens goed uit, dan praten wij vanavond wel verder.'

Wat Thomas al een tijd niet meer gedaan heeft, doet hij nu. Hij geeft haar een zoen op haar wangen, die erg bleek zien. Fia sluit opnieuw haar ogen en valt in slaap.

Thomas gaat achter zijn bureau zitten. Er komt geen werk uit zijn handen. Hij is verdrietig en angstig tegelijk. Nee, zijn Fia... dat kan toch niet na al die jaren, dat hij weer terugkomt om haar... nee, dat nooit, dan zal hij...

14

Thomas die nu zijn kantoor aan huis heeft, probeert zijn zaken te regelen. Hij heeft nog maar een paar huizen in de verkoop en de mensen klagen dat het zolang duurt voor hun huis verkocht wordt en stappen naar een andere makelaar. Hij zit klem, zowel zakelijk als privé.

Zijn vrouw is niet meer de Fia waarmee hij getrouwd is, de moeder van zijn kinderen. Ze is stil en hij weet dat vandaag of morgen de bom zal barsten. Hij heeft een goed bod gehad op het stukje grond waar zijn kantoorpand heeft gestaan. Waarom gebruikt hij zijn verstand niet en hapt hij niet toe? Vertrouwt hij die Sander Terloop niet? Wie kan hij wel vertrouwen? Zelfs zijn eigen vrouw niet meer?

Hoe vaak gaat de telefoon niet en is daar de stem van die Wibe als hij opneemt en de haak erop smijt. Een keer was hij net te laat en was Fia hem voor en heeft hij mee geluisterd. Hij was woest geweest en had haar de hoorn uit de hand gerukt en door de telefoon geschreeuwd dat hij naar hem toe zou komen en hem wel zou krijgen. Ook heeft hij toen Fia in het gezicht geslagen. Ze was rustig gebleven en weer naar bed gegaan. Hoe moet het nu verder?

Zijn kinderen komen niet meer thuis. Tom werkt voor die Sander Terloop en zijn dochter wil niks meer met hen te maken hebben, omdat er gepraat wordt dat haar moeder een vriend heeft... een jeugdliefde... Hij weet niet hoe hij handelen moet. Of wil hij niet? Ligt de schuld niet bij hemzelf? Hij heeft toch een goed bod gehad op de grond van zijn kantoor? Er worden winkels en appartementen gebouwd op die plaats. Als hij nu eens gewoon zaken ging doen en die grond verkocht en een pand in de stad huurde? Dan zou alles misschien weer goed komen met zijn vrouw en kinderen, piekert Thomas achter zijn bureau.

Dan gaat de telefoon. Misschien een klant, hoopt Thomas.

'Met Rinse makelaarskantoor?'

'O... ja... mag ik Fia spreken?'

'Bent u het weer?!'

'Ja, waarom mag uw vrouw niet aan de telefoon komen?'

'Omdat het mijn vrouw is,' antwoordt Thomas kort.

'Wat heeft u ertegen als ik met uw vrouw praat?'

'Heel veel... u bent wel heel erg brutaal. Denkt u nou écht dat ik u niet in de gaten heb!' schreeuwt Thomas terug.

'Heeft Fia dan niets verteld?'

'Wat moet zij mij vertellen?'

'Dat ik haar zou bellen voor een afspraak.'

'Nou gaat u toch helemaal te ver... een afspraak maken met mijn vrouw. Je denkt toch zeker niet dat je dertig jaar terug leeft. Fia is mijn vrouw en wij zijn gelukkig getrouwd.'

'Waarom mag ik haar dan niet spreken?'

'Omdat u niet te vertrouwen bent.'

'Dus u vertrouwt mij niet?'

'Nee, zeker niet!'

'Als u echt van uw vrouw houdt, dan zou ik mijn verstand maar eens gebruiken.'

'U moet wel uitkijken met wat u zegt.'

'Dat doe ik zeker, beste man. Het kan wel dertig jaar geleden zijn, maar vergeet niet dat echte liefde nooit kapot is te maken, ook al hebben ze dat dertig jaar geleden geprobeerd.'

Zonder antwoord te geven legt Thomas de hoorn terug op het toestel. Fia die in de deuropening staat en heeft gehoord wat Thomas heeft gezegd, vraagt: 'Was dat Wibe?'

'Ja... dat was hij weer. Wat heb jij met die vent?' vraagt Thomas terwijl hij Fia met boze ogen aankijkt.

'Ach niks... laat maar...'

'Waarom belt hij dan elke dag en wil hij een afspraak met je maken?'

'Thomas, nu moet je eens goed naar mij luisteren...'

'Dat doe ik al dertig jaar!'

'Nee, dat doe jij niet. Ik heb dertig jaar naar jou moeten luisteren en jij maakte uit wat er hier in huis gebeurde en op de zaak en ook op kerkelijk gebied maak jij hier de dienst uit. Je hebt je eigen zoon het huis uitgejaagd en onze dochter komt hier ook niet meer en ons huwelijk stelt niks meer voor. Zakelijk zit je aan de grond. Jij denkt alleen maar aan jezelf.'

'Dat de kinderen niet meer thuis komen, dat ligt niet aan mij. Tom gaat met een meisje waar de vader niet van deugt en Wil is kwaad omdat jij nooit wilde praten over je verleden.'

'Oké, daar gaan we weer, geef mij de schuld maar weer.'

'Zeg nou eens eerlijk waarom je zo stiekem met die vent omgaat. Het is toch niet normaal.'

'Thomas, jij hebt nooit begrepen dat er iets tussen ons was...'

'En na die jaren nog steeds... of is het een soort bevlieging van je omdat die vent hier in Nederland terug is?'

'Nee... dat is niet toevallig. Het is zo als jij altijd zegt: "Het leven hebben wij zelf niet in de hand," en ook ons liefdesleven niet. Jij weet niet wat het is om van iemand te houden die je afgenomen wordt.'

'Nee... dat begrijp ik niet... wij waren gelukkig getrouwd en hebben kinderen.'

'Jij bedoelt dat jij dertig jaar gelukkig getrouwd bent geweest.'

'Maar... nee... ik kan het niet begrijpen... het spijt mij...' zegt Thomas wat vermoeid.

'Ik doe een voorstel... en je kunt mij niet tegenhouden.'

'En dat is?'

'Wibe zal blijven bellen. Hij wil met mij praten onder vier ogen en dat heb ik hem beloofd in het ziekenhuis en hij heeft daar ook recht op na dertig jaar.'

'Waarom is hij daar niet eerder mee gekomen?'

'Hij is naar Canada gegaan en probeerde daar een nieuw leven op te bouwen. Zakelijk is hem dat gelukt, maar geestelijk heeft hij het nog steeds moeilijk.'

'Zeker om jou... laat mij niet lachen.'

'Nee Thomas, daar valt niet om te lachen.'

'Hij zal daar ook wel een vrouw hebben en nu zoekt hij hier zijn oude liefde op, omdat hij hier in Nederland moet zijn omdat zijn moeder ernstig ziek is.'

'Nee Thomas... Wibe heeft nooit een vrouw gehad. Hij kwam elk jaar naar Nederland naar zijn moeder op het landgoed. Toevallig ontmoette hij mij in het ziekenhuis... hij heeft het dertig jaar volgehouden...'

'Wat heeft hij volgehouden?'

'Praat niet zo dom... ik kan beter tegen een muur praten. Je wilt het gewoon niet begrijpen.'

'Moet ik begrijpen dat mijn vrouw verliefd is op haar jeugdliefde van dertig jaar terug die ze toevallig in het ziekenhuis heeft ontmoet?'

'Nee Thomas, dat was niet toevallig... Hij heeft mij jarenlang brieven geschreven die ik nooit beantwoordde omdat ik getrouwd ben en we twee kinderen hebben. Ik wilde jou en de kinderen dat niet aandoen,' zegt Fia eerlijk.

'Dus je hebt achter mijn rug brieven van hem ontvangen? Dat kan nooit, want ik behandelde altijd zelf de post.'

'Een vriendin van mij werkt op het kantoor van de vleesfabriek. Zij zorgde dat ik die brieven kreeg.'

'Is die vleesfabriek in de stad nog steeds van hem?'

'Ja, hij heeft daar een bedrijfsleider die de zaak voor hem runt. Zelf heeft hij ook een bedrijf in Canada.'

'Niet gek, zo'n rijke kerel,' zegt Thomas met een min lachje op zijn gezicht.

'Daar gaat het niet om, Thomas.'

'Waar gaat het dan wel om bij jou? Is het niet zo, dat je, nu jij bij mij het schip ziet zinken, nu mijn zaak kapot is gemaakt, je heil zoekt bij een andere man?'

'Dat heb je allemaal aan jezelf te danken. Tom heeft zijn best gedaan om je te helpen de zaak te verkopen zodat je ergens anders kon beginnen. Je wist al lang van tevoren dat het pand op een plaats staat waar nu nieuwbouw komt.'

'En daarom moest Tom ons pand maar in de fik steken.'

'Dat is nog niet bewezen,' antwoordt Fia.

'Of heeft die vent van jou het toch gedaan?'

'Hoe kom je daar nu weer bij?'

'Je weet heel goed dat die Sander Terloop zoiets rondbazuint en die Wibe van jou moet 's nachts vaak in de kroeg zitten.'

'Jij gelooft alles wat die Sander Terloop hier heeft verteld.'

'Hij heeft het jou toch ook verteld? Niet dan? Heb ik gelijk of niet?'

'Jij hebt altijd gelijk, Thomas, maar doordat jij altijd gelijk wilt hebben, raak jij je zaak kwijt en je kinderen en...'

'Mijn vrouw,' vult Thomas aan.

'Dat zijn jouw woorden.'

'Je bent toch nog steeds verliefd op die vent en hij op jou... of begrijp ik het verkeerd?'

'Thomas, je wilt het niet begrijpen.'

'Wat wil ik niet begrijpen?'

'Dat je nog steeds niet wakker geschud bent... ja, ik houd van Wibe en hij van mij, maar ik ben al dertig jaar getrouwd met jou en ben moeder van twee kinderen... ik kan maar zo niet... Ach man, je begrijpt er toch niks van...' zegt Fia terwijl ze naar beneden gaat.

Ze trekt haar jack aan en pakt haar tas. Thomas die van de trap af komt, vraagt: 'Waar ga je heen?'

'Dat gaat je niets aan!' schreeuwt Fia overstuur terug.

Thomas pakt haar bij de arm, trekt haar terug en kijkt haar fel aan en zegt: 'Jij blijft hier!'

Fia rukt zich los en wil weglopen, dan grijpt Thomas haar opnieuw beet en geeft haar een klap in het gezicht.

Fia grijpt naar haar gezicht en ziet dat er bloed aan haar hand zit. Haar neus bloedt. Ze rent naar buiten en stapt in de auto en rijdt met een vaart weg.

Thomas kijkt haar na en gaat als de auto is verdwenen weer naar binnen. Hij pakt de telefoon en belt naar Sander Terloop.

'U kunt de grond kopen... laat Tom alles maar regelen.'

'Goed, meneer Rinse... ik stuur nu direct uw zoon naar u toe, dan kunt u alles samen met hem regelen. Hij zal er erg blij mee zijn.'

'En u niet minder.'

'Zaken zijn zaken, meneer Rinse. Toch is dit een wijs besluit van u. Tom was erg ongerust over u.'

'Waarom zou hij?'

'Volgens mij kent u uw zoon niet goed.'

'Of hij zijn vader niet,' antwoordt Thomas kort.

'Toch is het een fijne jongen en een goed zakenman. U mist daar een goede kracht aan.'

'Hij heeft zelf gekozen om bij u te werken en doet liever zaken zoals jullie dat gewend zijn... ik houd er andere principes op na.'

'Dat kon u weleens de das omdoen. Ik stuur uw zoon nu direct naar u toe en die legt u alles wel uit,' zegt Sander Terloop waarna hij de verbinding verbreekt.

Na een halfuur rijdt een grote Jeep de oprit op en stapt Tom uit bij zijn ouderlijk huis. Hij heeft een koffertje bij zich, zoals het bij een echte zakenman past.

Hij loopt achterom via de keuken naar de hal, hangt zijn jack op aan de kapstok en gaat dan de kamer in. Hij ziet niemand in de kamer. Hij weet dat zijn vader ook een kantoor boven heeft, maar hij hoopte ook zijn moeder te ontmoeten. Die zal dan ook wel boven zijn.

Tom gaat de trap op, komt bij de deur van het kantoortje van zijn vader en opent gelijk de deur.

Zijn vader zit achter zijn computer en knikt tegen hem.

'Hoi pa,' zegt Tom vlot terwijl hij een stoel pakt en tegenover zijn vader gaat zitten en hij vraagt: 'Is ma niet thuis?'

'Nee...'

'Boodschappen doen?'

'Zoiets...' antwoordt Thomas kort.

Tom merkt dat er moeilijkheden zijn en heeft al het een

en ander gehoord van zijn baas over de problemen van zijn ouders.

'Moeilijkheden, pa?' vraagt Tom voorzichtig.

'Je komt toch om zaken te doen?'

'Dat wel, ja…'

'Nou, laat mij maar eens zien of ik zaken met jullie kan doen.'

'U heeft de papieren toch gelezen,' zegt Tom terwijl hij een map uit zijn koffertje haalt.

'Die papieren heb ik verscheurd… ik wil alleen met jou onderhandelen.'

'Goed pa…'

Dan vraagt Thomas aan zijn zoon: 'Heb jij echt ons pand in brand gestoken?'

Tom haalt diep adem en weet niet zo snel wat hij zeggen zal. Hij heeft het zijn vader toen bekend, maar of die hem echt gelooft… Hij zegt dan ook voorzichtig: 'Het spijt mij nog steeds, pa, maar ik mag er niet op antwoorden.'

'Je hebt het toch al verteld… of was het een ander?'

'Pa, ik praat er liever niet meer over. U heeft mij laten komen om zaken te doen en laten we niet meer over die brand praten…'

'Dus toch…'

'U moet zelf weten wat u denkt.'

'Hoe kun je zoiets doen…'

'Maakt het wat uit, pa?'

'Ik was daar graag blijven zitten.'

'Dat kon niet, pa.'

'Maar moest het dan op deze manier?'

'Als u liever geen zaken doet met mijn baas…'

'Je bedoelt Sander Terloop?'

'Ja, daar werk ik voor.'

'Die Sander Terloop heeft vuile handen, Tom.'

'Dat zegt u.'

'Je werkt er zelf ook nog aan mee, Tom. Als het Sander Terloop niet lukt, dan laat hij het door een ander opknappen. Zelf blijft hij buiten schot. Het is gevaarlijk om met zo iemand samen te werken, Tom.'

'Hij doet goede zaken en heeft bij de gemeente en in de bouwwereld bij projectontwikkelaars een goede naam.'

'Ook door vuile zaakjes, jongen.'

'Nee pa... hij weet goed wat hij doet. Er zijn al grote projecten door hem uit de grond gestampt. Nu gaat hij beginnen samen met een projectontwikkelaar en een aannemer met de grond waar uw pand op heeft gestaan,' legt Tom uit.

'Zolang ik niet verkoop, kan hij niet beginnen. Heb ik het goed?'

'Ze zijn al bezig de andere panden te slopen.'

'Dat van ons hoeft niet meer gesloopt te worden,' antwoordt Thomas.

'U weet de prijs?' vraagt Tom zakelijk terwijl hij zijn vader wat papieren overhandigt.

'Ja, die weet ik...'

'Die prijs krijgt u nergens. U kunt er een nieuw pand voor terugkopen als het project klaar is. Onder die appartementen komen kantoren en winkels,' legt Tom uit terwijl hij zijn vader de tekeningen laat zien van het project en wijst waar zijn vader een kantoorpand kan kopen.

'Kijk hier... het wordt een heel nieuw winkelcentrum en ook is een gedeelte overdekt,' legt Tom uit.

'Dat zal wel wat gaan kosten.'

'Dat ligt aan de vierkante meters die u wilt besteden. U weet het bedrag dat u voor de grond krijgt en kunt zelf wel uitrekenen wat u kunt besteden. Trouwens, u kunt ook een kantoorpand huren, maar dat raad ik u af. De huren zijn vaak hoog en het zijn vaak contracten van vijf jaar. Als ze er dan liever een ander in willen, dan krijgt u moeilijkheden met de verhuurder die ook vaak na die vijf jaar de huur per vierkante meter omhoog doet, als er veel vraag naar is,' legt Tom uit.

'Dus ik kan beter wat kopen?'

'Dat zou ik zeker doen. Een eigen pand blijft altijd zijn waarde houden.'

'Ook al brandt het af,' antwoordt zijn vader als hij zijn zoon aankijkt.

'Als ik u was en ik zou daar een pand kopen, dan zou ik het zeker verzekeren tegen brand en schade.'

'Nee jongen, daar ben ik principieel tegen.'

'Waarom?'

'Dat kan ik niet met mijn geloof in overeenstemming brengen.'

'Dat hoeft de kerk toch niet te weten.'

'Maar God weet het wel, jongen.'

'Er zijn zoveel dingen in de kerk en in de wereld die niet eerlijk zijn. Ik zit nu al een tijdje in het vak. U moest eens weten, pa…'

'Liever niet, jongen…'

'Dus u gaat akkoord?'

'Dat zal wel moeten.'

'Wilt u zolang de nieuwbouw niet klaar is een pand huren van ons? In de hoofdstraat staat een mooi pand leeg. Daar zullen zeker klanten komen om huizen te kopen of ze daar in de verkoop te zetten. Het is een drukke winkelstraat. Dus er komen veel mensen langs,' legt Tom uit.

'Daar moet ik nog over nadenken…'

'Oké, niet te lang over nadenken, anders huurt een ander dat pand en hier bij u aan huis zullen niet veel klanten komen, neem ik aan.'

'Ik red het zo voorlopig nog wel,' antwoordt Thomas.

Dan gaat Tom weer. Hij voelt dat zijn vader wat gemoedelijker is geworden. Het zal wel aan zijn moeder liggen.

15

Fia rijdt maar zo in het wilde weg ergens heen. Ze durft niet naar het landhuis van Wibe te gaan. Ze zal daar zijn moeder ontmoeten of andere mensen. Ze durft het niet, iets houdt haar tegen. Ze heeft een mobieltje in haar tas. Ze kan hem ook bellen. Ze durft het niet... waar zal ze heen gaan? Niemand zal haar begrijpen dan alleen Wibe. Dan schudt ze haar hoofd en zegt hardop in de auto: 'Nee, het mag niet na dertig jaar huwelijk. ik ben getrouwd en heb een man en twee kinderen.'

Ze veegt langs haar neus. Het bloeden is opgehouden.

Ze rijdt de parkeergarage van V&D in, zet haar auto op een parkeerplaats en gaat met de roltrap omhoog. Als een schuw vogeltje loopt ze snel naar het toilet van het restaurant en wast daar het bloed van haar gezicht.

Ze neemt een kop koffie, gaat aan een van de tafeltjes zitten en staart voor zich uit. Hoe zullen de kinderen over haar denken... Thomas, houdt ze dan niet meer van hem? Ze is toch al dertig jaar met hem getrouwd? Wat is er toch met haar aan de hand? Ja, dertig jaar huwelijk en kinderen... Nu zit ze in de overgang en komt het verleden heftig naar boven in haar dromen, maar ook in haar gedachten. Steeds opnieuw is daar die jeugdliefde. Ze moet bekennen dat Wibe nooit echt uit haar gedachten is geweest. Maar ze heeft gekozen voor Thomas en is met hem getrouwd. Ze is haar ouders gehoorzaam geweest... ze mocht Wibe niet meer ontmoeten. Thomas kwam in haar leven. Ze trouwden en kregen kinderen... kan ze het dan niet gewoon uit haar hoofd zetten en gewoon teruggaan naar Thomas en toegeven dat ze niet normaal is? Iedereen zou haar toch voor gek verklaren... Ze gelooft toch in God. Ze heeft Thomas toch trouw beloofd? Waar is haar geloof? Had ze wel een geloof? Het geloof van haar ouders en van Thomas was haar geloof... Was het een soort namaakgeloof van dat van haar ouders en Thomas? Een kopie van hun geloof? Haar gebeden waren toch echt tegenover God? De laatste tijd kon ze niet meer bidden... ze durfde het God niet te vertellen. Als kind kon ze alles aan de Heere God vertellen en vragen als het moeilijk was. Ook toen ze trouwde en kinderen kreeg, kon ze er met de Heere God over praten. Ze heeft geen makkelijke jeugd achter de rug met haar strenge ouders. Zij wilde zelf haar weg bepalen samen met Wibe, maar dat kon niet. Zij en Wibe lagen te ver uit elkaar. Ze mocht niet met hem gaan en toch bleef ze het volhouden totdat die bliksem uit de hemel kwam en haar zusje doodde. Toen moest ze horen dat ze schuldig was... ze is het heel haar leven zo blijven voelen... haar schuld, terwijl het niet zo was... de bliksem sloeg toevallig bij hen in en haar zusje kwam om in de vlammen en die vreselijke rook.

Toen ze met Thomas trouwde, is er nooit meer over gesproken. Haar ouders waren tevreden dat ze een nette jongen getrouwd had en het verleden moest verzwegen worden. Niemand durfde erover te praten. Het zou haar ouders pijn doen en ook haar. Het was immers haar schuld... ze was ongehoorzaam geweest, niet alleen tegenover haar ouders, maar ook tegenover God. Ze mocht niet met een man gaan die God niet kende. Het verleden was een diepe wond en het litteken bleef, maar nu is dat litteken weer opengegaan. In het begin deed het litteken alleen maar pijn, maar nu is zij gewond... de wond ligt open in haar ziel. Ze kan het wel uitschreeuwen... help, het doet pijn!

Er lopen tranen over haar wangen. Ze pakt haar zakdoek uit haar tasje en ziet haar mobieltje. Waarom belt ze hem niet gewoon en praat ze het met hem uit... zo gaat ze er kapot aan. Er is een verlangen naar hem en toch is er gelijk een soort schuldgevoel tegenover Thomas en haar kinderen... Hoe kan ze er met haar kinderen over praten? Ze zullen haar voor gek verklaren. Een moeder die na dertig jaar verlangt naar haar jeugdliefde, die al in de overgang zit en niet om een man verlegen zit. Het is de liefde die zij gemist heeft... een vergeten liefde. En dan ís daar plots die jongen... nee, het is geen vergeten liefde... hij is nooit echt uit haar leven geweest. Kan een man zoiets begrijpen... haar man in ieder geval niet en haar kinderen ook niet... kon ze er maar over praten met haar kinderen...

Ze haalt haar mobieltje uit haar tas en legt het op het tafeltje voor haar. Ze kijkt er angstig naar. Ze heeft hem maar zelden zelf durven bellen... en als ze het deed en zijn stem hoorde, verbrak ze snel de verbinding.

Als ze alleen zijn stem al hoorde, ging er een rilling door haar heen tot diep in haar ziel en steeds was dan dat stemmetje er: je houdt nog steeds van hem... je hebt nooit echt van Thomas gehouden. Je bent voor de vorm met hem getrouwd zoals het hoort in een christelijk gezin. Hij was de man die goedgekeurd werd door haar ouders. Ze moest hun gehoorzamen. Ze moest een soort boete doen tegenover haar ouders en God. De schuld drukte op haar die haar was opgelegd door het verlies van haar zusje. Ze had gezondigd tegen haar ouders en God en mocht dankbaar zijn dat ze nog een nette man kreeg.

Dan pakt ze met klamme handen haar mobieltje van het tafeltje. Ze voelt zich zwak. Haar vingers trillen. Ze wil het nummer intoetsen, maar stopt er steeds mee. Ze kan het niet. Ze stopt het mobieltje terug in haar tas. Ze staat op en loopt het restaurant uit, de roltrap af naar de parkeergarage. Ze slingert als een dronken vrouw. Dan hoort ze een stem achter zich: 'Mam! Mam?!'

Ze kijkt achterom en ziet haar dochter met een winkelwagentje achter haar. Ze blijft staan. Wil kijkt haar moeder aan en schrikt.

'Mam... ma, wat is er gebeurd... voelt u zich wel goed?'

Fia laat haar hoofd zakken en schudt haar hoofd als een kind dat ergens op betrapt is.

'Wat is er, ma...?'

'Niks...' antwoordt ze met zachte stem.

'Wacht, dan doe ik mijn boodschappen in mijn auto en breng ik u naar huis.'

Fia knikt als een verslagene. Haar dochter pakt haar bij de arm en helpt haar in de auto.

'Bent u met uw auto?'

'Ja...'

'Was u boodschappen aan het doen?'

'Nee...'

'Wat is er dan?'

Opnieuw laat Fia haar hoofd hangen en snikt: 'Het is allemaal zo moeilijk... ik weet het niet meer...'

'Heeft u moeilijkheden met pa?'

'Ja...'

'Wilt u liever niet naar huis... gaat u liever met mij mee naar huis?'

Fia knikt.

Ze rijden naar het huis van Wil. De kinderen zijn naar

school. Ze kan dan rustig met haar moeder praten, denkt Wil.

Ze stoppen voor het huis. Wil helpt haar moeder uit de auto. Ze gaan naar binnen. Ze laat de boodschappen zolang in haar auto liggen. Ze ziet dat haar moeder behoorlijk in de war is.

Fia gaat in een van de makkelijke stoelen zitten. Ze zit daar als een zielig hoopje mens.

Wil zet in de keuken koffie en komt even later met twee bekers koffie de kamer in.

'Drink eerst maar wat, ma.'

Fia neemt met trillende hand de beker koffie aan en neemt een slok koffie.

Wil kijkt haar moeder aan en vraagt: 'Wat moest u doen in het winkelcentrum?'

'Gewoon... ik heb bij V&D een kop koffie gedronken,' antwoordt Fia met zachte stem.

'Dat is voor u niet gewoon, ma. U gaat daar nooit alleen koffiedrinken. Weet pa ervan?'

Fia haalt haar schouders op.

'Dus het heeft weer met pa te maken?'

'Het is allemaal mijn schuld...' bekent Fia.

'Ma... er zijn in het verleden dingen gebeurd in uw jeugd waar wij het juiste niet van weten. Pa praat er niet over en u ook niet. Wij moesten het horen van de baas van Tom; die is van jullie leeftijd, Sander Terloop. Die man hangt vreemde verhalen over jullie op en vooral over u. U bent verliefd geweest op die man van dat landgoed die nu terug is uit Canada. Waarom praat u er niet gewoon over... ik bedoel niet over uw jeugdliefde, dat zal wel over zijn want u bent met pa getrouwd, maar dat u een zusje heeft gehad dat omgekomen is bij die brand. En dat die man van dat landgoed dat op zijn geweten heeft... u heeft ons wel wat verteld toen u in het ziekenhuis lag, maar wij horen heel andere verhalen over u.'

'Nee... nee, dat heeft Wibe niet gedaan... het gebeurde toen de bliksem insloeg... Wibe was toen bij mij... dat verhaal is een leugen!' valt Fia nu fel uit.

'Ma, hij heeft dat door een ander op laten knappen, zegt die Sander Terloop, dus het kan best waar zijn. U mocht immers niet met die Wibe omgaan van uw ouders en toen heeft die vriend de boerderij van opa en oma in brand laten steken en toen is uw zusje omgekomen.'

'Nee... nee, zo was Wibe niet. Het was een eerlijke jongen. Het was een blikseminslag, zoals ik jullie heb verteld in het ziekenhuis. Het was Gods oordeel volgens mijn ouders.'

'Wie zegt dat?'

'Mijn ouders, zoals je weet.'

Omdat u met die Wibe ging?'

'Ja... en dat weet jij ook, ik heb het immers aan jullie verteld.'

'Alleen omdat die man niet naar de kerk ging?'

Fia knikt.

'Maar dat is toch niet normaal... Tom van ons gaat nu toch ook met een meisje dat niet kerkelijk is... niet dat ik dat zo leuk vind, en zeker niet met een dochter van die Sander Terloop, want die kerel deugt gewoon niet.'

Fia drinkt haar beker leeg en wil opstaan.

'Waar gaat u heen?'

'Wil je mij terugbrengen naar die parkeergarage?'

'Zo kunt u niet naar huis... zal ik pa bellen?'

'Nee liever niet...'

'Heeft u ruzie met pa?'

'Ja...'

'Over al dat gedoe van vroeger en die brand in zijn kantoor?'

'Nee...'

'Wat is er dan, ma? U doet altijd zo geheimzinnig. Tom en ik zijn geen kleine kinderen meer. U kunt ons toch vertellen wat er gebeurd is tussen u en pa?'

'Daar kan ik niet met jullie over praten... dat zullen jullie nooit begrijpen als je het zelf niet hebt meegemaakt.'

'Gaat het over die Wibe?'

Fia knikt.

'Weet u dat zijn moeder is overleden? Die vrouw die naast u op de kamer lag in het ziekenhuis?'

Fia kijkt haar dochter ongelovig aan en vraagt: 'Hoe weet jij dat?'

Wil pakt een streekblad dat een keer in de week verschijnt en laat het haar zien.

Fia leest de overlijdensadvertentie.

'Dat is toch zijn moeder?'

'Ja... ja, dat klopt,' antwoordt Fia.

'Wilt u nog een beker koffie?'

'Nee... ik ga... breng mij maar terug naar die parkeergarage.'

'Daar komt niks van in. U gaat naar de logeerkamer en rust eerst eens wat uit en dan haal ik ondertussen de kinderen van school en dan praten wij vanmiddag verder als Tom en pa erbij zijn. We moeten het uitpraten als gezin... vindt u zelf ook niet?'

Fia geeft geen antwoord.

'U gaat nu naar boven en rust eerst eens wat uit.'

Wil gaat samen met haar moeder naar boven en brengt haar naar de logeerkamer.

'Ga maar lekker liggen, dan haal ik de kinderen van school en praten we vanmiddag wel verder. Ik zal straks Tom en pa bellen... zó kan het niet langer,' zegt Wil zelfverzekerd.

Fia ligt op het bed met haar kleren aan. Als ze de buitendeur hoort dichtslaan en de auto van haar dochter hoort wegrijden, staat ze op en gaat naar beneden. Ze pakt haar jack en tas en gaat snel de deur uit.

Ze loopt de straat uit tot ze bij een bushalte komt. Na tien minuten stopt er een bus. Ze stapt snel in en stapt in het centrum uit. Ze loopt naar de parkeergarage, stapt in haar eigen auto en rijdt naar de rand van de stad door een bosrijk gebied waar ze in de verte het landhuis ziet liggen.

Wat is het lang geleden dat ze hier heeft gewandeld en bij Wibe thuis kwam. Wibes moeder was altijd aardig tegen haar. Hier heeft ze de mooiste herinneringen van haar jeugd liggen, maar ook de pijnlijkste... Ze kan nooit meer terug naar het verleden... alleen in gedachten...

Fia stapt uit haar auto en loopt het smalle bospaadje op dat uitkomt achter het landhuis. Ze gaat niet naar de voorkant, dan wordt ze gezien op de grote oprijlaan. Vroeger wandelden ze samen over dit smalle bospaadje. Eigenlijk is er weinig veranderd na al die jaren. De bomen zijn hoger geworden en dikker en zij is ouder geworden, dat wel... Het lijkt alsof ze naar een soort film kijkt uit het verleden. Wibe die haar altijd stevig vasthield en zij die zich aan hem overgaf en zich liet liefkozen door hem. Wat was hij knap en lief. Alles aan hem was aantrekkelijk en hij hield echt van haar... zou hij nu nog zoveel om haar geven? Toen hij aan haar bed stond in het ziekenhuis bekende hij oprecht nog zijn liefde voor haar. Hij was nooit getrouwd geweest en voelde zich al die dertig jaar eenzaam in dat grote land Canada waar hij naartoe was gevlucht. Hij dacht haar daar te vergeten. Hij heeft eigenlijk hetzelfde meegemaakt als zij. Alleen, het was allemaal haar schuld. Zij heeft het immers uitgemaakt. Zij heeft zijn leven kapotgemaakt en ook haar eigen leven. Ze heeft geleefd met een andere man... Thomas... Ze hield wel van hem, maar het was zo heel anders. Ze had gedacht dat haar liefde voor Wibe wel zou slijten. Maar nee, echte liefde gaat nooit over. Er blijft altijd een vonkje branden en het gevaar bestaat dat het opnieuw kan ontvlammen.

Ze loopt zo wat dromend het bospaadje af en nadert het landhuis aan de achterkant. Het ziet er wat verouderd uit en is slecht onderhouden. Zijn moeder woonde hier alleen met een huishoudster die voor haar zorgde, terwijl haar man de tuin deed en het werk om het huis.

Fia nadert de achterdeur. Ze weet dat daar de grote woonkeuken moet zijn.

Tot haar schrik gaat die deur ineens open en staat Wibe in de deuropening.

'Fia... Fia... jij hier...?'

'Wibe...'

Zonder nog wat te zeggen rent Wibe naar haar toe, pakt haar hand en kijkt haar aan. Fia kijkt in zijn donkerbruine ogen die haar verblinden en de vonk in haar doen ont-branden. Ze voelt de warmte van zijn hand door haar hele lichaam heen gaan. Dan zakt Fia in elkaar en kan Wibe haar net nog opvangen. Hij draagt haar naar binnen. Hij legt haar in de grote kamer op een bank. Hij gaat op zijn knieën naast haar zitten en streelt haar bleke wangen. Dan gaan haar ogen open en lopen er tranen over haar wangen.

Wibe buigt zich over haar heen en zoent haar tranen weg.

'Mijn Fia… mijn Fia, je bent terug…' fluistert hij.

Fia voelt zich als in een droom en gaat met haar hand door zijn donkere, al grijzende haar en fluistert terug: 'Wibe, waarom…?'

'Lieverd… het verleden lijkt weer helemaal te herleven. Je bent nog altijd mijn Fia… al ben je van een andere man… je bent al die jaren in mijn gedachten geweest. Het leven was moeilijk zonder jou, lieverd. Nu, na dertig jaar, mag ik jouw liefde opnieuw proeven… kun je nog van mij houden…?'

Zonder hem te antwoorden drukt ze haar gezicht tegen hem aan en zoent hem alsof ze weer terug zijn in het verleden. Toch heeft zij hem lief in het heden. Zij weten van elkaar dat ze bij elkaar horen en geven zich dan ook over aan die liefde waar zij al die jaren naar verlangd hebben. Voor de wereld onbegrijpelijk, maar voor hen is die liefde zo sterk dat zij erin opgaan zonder aan het heden te denken, totdat ze uit hun liefdesdroom ruw worden gewekt.

Het is de huishoudster die de kamer binnenkomt en schrikt als ze hen ziet.

'O… neemt u mij niet kwalijk…'

Wibe gaat staan en zegt: 'Het geeft niet…'

'Er is een meneer… voor de grafsteen van uw moeder.'

'Laat hem morgen maar terugkomen.'

'Goed meneer…'

'Is je moeder dan al begraven?'

'Ja…'

'O…'

'Wist je dat ze overleden was?'

'Ja… ik las het in de krant…' antwoordt Fia.

16

Als Wil met de kinderen thuiskomt en ziet dat het jack en de tas van haar moeder zijn verdwenen, rent ze snel naar boven. De deur van de logeerkamer staat open.

'Ze is weg… zal ze naar huis zijn…?' zegt Wil geschrokken

'Ma, waar is oma… u zei dat oma bij ons was?' zegt de oudste.

'Oma is zeker naar huis gegaan,' antwoordt Wil ongerust.

'Maar u zei dat oma in bed lag en wij stil moesten zijn?'

'Ik zal opa bellen… ze is vast naar huis, naar opa.'

Wil pakt de telefoon en toetst het nummer van haar ouders in.

'Rinse makelaarskantoor?'

'Pa… pa, is ma bij u?'

'Eh… nee, waarom?'

'Waarom… bent u dan niet ongerust?'

'Nou ja…'

'Wat is er gebeurd?'

'Dat kun je beter aan je moeder vragen.'

'Waarom doen jullie zo geheimzinnig?'

'Ook daar moet je voor bij je moeder zijn.'

'Ik kwam haar tegen in het centrum in de parkeergarage, ze was helemaal in de war.'

'O… waar is ze heen gegaan?'

'Dat weet ik niet… ik heb haar mee naar huis genomen en ze is naar de logeerkamer gegaan om wat uit te rusten, maar toen ik thuiskwam met de kinderen was ze vertrokken.'

'Ze zal wel thuiskomen… was ze met de auto?'

'Nee… die staat nog in de parkeergarage in het centrum.'

'Dan zal ze wel naar die parkeergarage zijn om haar auto te halen.'

'Pa… wij moeten nodig eens praten. Het gaat zo niet goed met jullie.'

'Ja… ik weet het ook niet meer…' snikt Thomas dan.

Wil krijgt een brok in haar keel, zo kent ze haar vader niet.

'Zal ik eerst naar u toe komen?'

'Goed… het is allemaal zo moeilijk…'

'Weet Tom dat ma niet thuis is?'

'Tom maakt zich niet zo druk om ons, die is al een tijdje uit huis,' antwoordt Thomas die zich weer beheerst.

'Dan bel ik eerst Tom wel.'

'Kun je niet beter eerst je moeder gaan zoeken?' vraagt Thomas ongerust.

'Goed… laat ik dan eerst maar naar die parkeergarage gaan,' antwoordt Wil.

'Dan hoor ik nog wel van je,' antwoordt Thomas met zachte stem.

Wil geeft snel haar kinderen iets te eten en loopt dan naar de buurvrouw, een al wat oudere vrouw die alleen woont.

'Buurvrouw… mijn moeder is niet goed geworden. Wilt u op mijn kinderen passen?'

'Natuurlijk, Wil. Wat is er met je moeder? Is het ernstig?'

'Dat weet ik niet, dat hoort u als ik terug ben.'

'Ga jij nou maar… ik let wel op de kleintjes.'

De buurvrouw gaat mee naar de kinderen.

'Zo deugnieten, zal de buurvrouw eens met jullie komen spelen?'

'Ja, laten we naar de speeltuin gaan, buurvrouw,' antwoordt de oudste.

'Als dat mag van je moeder.'

'Ma, mogen wij met de buurvrouw naar de speeltuin?'

'Dat is goed, hoor, maar goed naar de buurvrouw luisteren,' antwoordt Wil terwijl ze haar jack aantrekt, haar tas pakt en haar mobieltje erin doet.

Ze stapt snel in haar auto en rijdt richting het centrum.

Ze is vast met de bus naar het centrum gegaan om haar auto op te halen, denkt Wil.

Als ze de parkeergarage inrijdt en naar de auto van haar moeder zoekt is die nergens te bekennen.

Wat moet ze nu doen... naar haar vader gaan?

Nee, nee, eerst Tom bellen...

Ze toetst het nummer van haar broer in op haar mobieltje.

'Met Tom Rinse?'

'Met Wil...'

'Ha, die Wil.'

'Tom, het zit thuis niet goed... ma is ervandoor...'

'Ma ervandoor?'

'Het gaat niet goed met die twee.'

'Dat is voor mij niet nieuw.'

'Weet jij er meer van?'

'Ach, je weet hoe pa is.'

'Wat is er met pa?'

'Hij is altijd al eigenwijs geweest. Hij heeft eindelijk de grond verkocht en gaat een nieuw pand huren in de stad.'

'Zouden ze daar ruzie over hebben?'

'Dat denk ik niet... maar maak je niet ongerust. Ma

komt heus wel weer naar huis, zoals altijd,' antwoordt Tom nuchter.

'Nee... ze was behoorlijk in de war.'

'Heb je haar ontmoet?'

'Ja, in het centrum.'

'Ze was zeker aan het winkelen?'

'Ze liep naar haar auto en was niet in orde. Ik heb haar mee naar huis genomen en naar de logeerkamer gebracht, zodat ze wat tot rust kon komen. Toen ik terugkwam uit school met de kinderen was de vogel gevlogen.'

'Als ik het goed begrijp had ze geen auto bij zich?'

'Die stond nog in de parkeergarage waar ik nu ook sta en jou bel.'

'Is de auto weg?'

'Ja...'

'Dan zal ze wel naar huis zijn. Maak je niet ongerust.'

'Dat doe ik wel... ze was behoorlijk in de war. Zo ken ik ma niet,' antwoordt Wil.

'Wat wil je nu van mij?'

'Laten we eerst eens met pa praten en vragen wat er nou precies is gebeurd.'

'Die maakt zich niet druk.'

'Toch wel... hij was overstuur toen ik hem belde.'

'Heb je goed gekeken of de auto van ma niet ergens anders staat in het centrum?'

'Hij stond hier in de parkeergarage toen ik haar mee-nam. Ze is vast met de bus hierheen gegaan en met haar auto ergens anders heen gegaan.'

'Heb je ook nog op het grote parkeerterrein bij de markt gekeken?'

'Tom, ik kan de hele stad toch niet af gaan rijden?'

'Toch kun je beter even een rondje rijden over het grote

parkeerterrein dicht bij het centrum. Je weet wel, bij die grote supermarkt.'

'Oké... dan zal ik daar even gaan kijken, als jij dan vast naar pa gaat.'

'Moet dat per se?'

'Tom, we moeten echt praten met pa.'

'Wat valt er met hem te praten? Hij is zo eigenwijs en denkt dat hij altijd gelijk heeft, maar ondertussen gaat zijn hele zaak naar de knoppen. Hij is te ouderwets.'

'Dat heeft er niks mee te maken. Het gaat nu over iets anders. Het heeft niks met de zaak te maken.'

'Oké, ik ga wel naar hem toe en kijk jij of je de auto van ma nog ergens ziet. Misschien zitten die twee thuis al rustig aan de koffie en maken wij ons druk om niks,' antwoordt Tom met een lachje.

'Doe niet zo stom, vent... volgens mij ken jij pa en ma niet goed.'

'Daar heb je gelijk in. De laatste tijd kan ik geen hoogte meer krijgen van die twee. Ik weet niet wat er mis is.'

'Dat zullen we dan wel horen van pa.'

'Die laat zich niet uithoren,' antwoordt Tom.

'We zien wel... ik zie je wel bij pa... ik hoop dat ik ma nog ergens zie. Als ik haar gevonden heb, dan bel ik je eerst wel.'

'Oké... veel sterkte, zus.'

Wil klikt haar mobieltje uit en rijdt de parkeergarage uit.

Op het parkeerterrein in het centrum ziet ze de auto van haar moeder niet staan.

Ze gaat naar het ouderlijk huis. Als ze daar de auto van haar broer Tom niet ziet staan, wordt ze een beetje boos. Hij heeft het altijd over zijn vader dat die zo eigenwijs is, maar hij lijkt er wel erg veel op soms. Tom is er nog niet en het zal haar niet verwonderen als hij pas over een uur of zo komt. Wil stapt uit haar auto en loopt via de achterdeur naar binnen.

Als ze in de kamer komt, schrikt ze wel even. Ze ziet haar vader in zijn stoel zitten terwijl hij een slok jenever uit de fles neemt. Dat is ze van hem niet gewend. Hij drinkt best af en toe een borrel, maar dan alleen 's avonds als hij de deur niet meer uit hoeft en zeker niet zo uit de fles.

'Moet dat zo, pa?'

'O... o, ben jij het...'

Wil gaat op een stoel dicht bij hem zitten met haar jack aan en vraagt: 'Is Tom al geweest?'

'Wat moet Tom hier doen,' antwoordt Thomas kort.

'Ik heb hem gebeld... hij zou ook hierheen komen.'

'Ik zou niet weten wat hij hier moet doen, meneer de grote zakenman,' spot Thomas.

'Waarom doet u altijd zo lelijk over Tom?'

'Dat weet jij heel goed.'

'Omdat hij bij Sander Terloop werkt en met zijn dochter Anja gaat?'

'Hoe raad je het!'

Thomas neemt nog een flinke slok uit de fles en lacht wat vreemd.

'Pa, waarom gaat u nu midden op de dag drinken?'

'Omdat het mij allemaal niks meer schelen kan!' antwoordt Thomas met een harde stem.

'U bent ouderling, pa... u mag zo niet praten.'

'Daar heb ik vanmorgen al voor bedankt,' antwoordt Thomas kort.

'Waarom... wat is er gebeurd dat u zo doet?'

'Alles ben ik kwijt.'

'Hoe bedoelt u dat?'

'Mijn zaak is naar de knoppen en mijn zoon werkt bij iemand die mij probeert kapot te maken en...' verder komt Thomas niet. Hij laat zijn hoofd zakken. Wil ziet dat er tranen over zijn wangen lopen. Wil heeft haar vader nog nooit zien huilen en weet ook niet wat ze ermee aan moet. Toch legt ze haar hand voorzichtig op zijn arm en fluistert: 'U kunt er toch met ons over praten...'

Thomas schudt zijn hoofd.

Dan horen ze Tom binnenkomen.

Thomas veegt snel zijn tranen weg en neemt een slok uit de fles. Tom ziet net nog dat zijn vader de fles naast zich neerzet.

'Al vroeg aan de borrel, pa... gaan de zaken goed?'

Thomas kijkt nu zijn zoon met roodbehuilde ogen aan en schreeuwt: 'Hoepel op, jij!'

'Rustig... rustig... ik maakte maar een grapje,' schrikt Tom als hij zijn vader zo ziet.

'Dit zijn geen grapjes meer, Tom,' zegt zijn zus Wil ernstig.

Tom gaat aan de grote tafel zitten en vraagt: 'Nog wat van ma gehoord of gezien?'

'Nee... ik heb haar auto nergens meer gezien.'

'Ze zal wel ergens op visite zijn of zo,' zegt Tom.

'Weet u niet waar ma kan zijn? Wat heeft ze tegen u gezegd toen ze wegging?' vraagt Wil voorzichtig.

Dan krijgt Thomas een vreselijke huilbui. Zijn dochter en zoon hebben hun vader zo nog nooit meegemaakt. Dit is hun vader niet, die altijd zo eigenzinnig was en altijd alles beter wist dan een ander en alleen maar zaken deed met eerlijke zakenmensen en daar openlijk voor uitkwam. Hij was een kerel en geen doetje, zoals hij daar nu zit met gebogen hoofd. Zijn schouders schudden van alle emoties die loskomen.

Opnieuw legt Wil haar hand op zijn arm en fluistert: 'Pa... pa, heeft u het zo moeilijk... heeft het met ma te maken?'

Thomas geeft geen antwoord.

'Ma was ook overstuur... ik heb haar mee naar huis genomen. Toen ik de kinderen van school ging halen en terugkwam was ze weg... wat is er gebeurd, pa?'

Thomas pakt een zakdoek uit zijn broekzak, veegt zijn ogen droog, snuit zijn neus en haalt zijn schouders op.

'U moet praten, pa...' zegt Tom voorzichtig.

'Jullie begrijpen er toch niks van, het is iets tussen jullie moeder en mij. Het gaat niet goed met ons...'

'Waarom niet?'

'Het verleden komt bij je moeder steeds weer te voorschijn...'

'Wat heeft ma met het verleden te maken... of bedoelt u de brand waarbij haar zusje is omgekomen?'

'Dat ook ja...'

'Waarom hebben jullie dat altijd voor ons verzwegen?' vraagt Tom.

'Het was allemaal te teer voor jullie moeder en haar ouders.'

'Omdat ma de schuld kreeg?'

'Dat ook.'

'Heeft die vent waar ma vroeger mee ging echt hun boerderij in de fik laten steken, terwijl men dacht dat het een blikseminslag was?' vraagt Tom.

'Daar zijn wij nooit achter gekomen.'

'Moest ma het daarom uitmaken?'

'Hij deed nergens aan wat het geloof betreft.'

'Maar wat heeft dat er nou mee te maken... hij deed nergens aan,' zegt Tom wat schamper.

'Daar begrijp jij toch niks van. Jij ziet er ook geen kwaad in om met die dochter van Sander Terloop te gaan,' antwoordt Thomas.

'Wat is daar mis mee?'

'Zo'n huwelijk houdt nooit stand.'

'Is jullie huwelijk dan wel goed geweest?' vraagt Tom brutaal.

'Heb jij als kind wat gemist? Zijn wij als vader en moeder niet goed voor jullie geweest? Ons huwelijk was goed. Wij geloofden dat God ons bij elkaar heeft gebracht,' antwoordt Thomas vol emotie.

'Is dat nog zo, pa?' vraagt Wil voorzichtig.

Thomas laat zijn hoofd zakken en schudt zijn hoofd.

'Wat is er gebeurd met ma... waarom kreeg ze dat auto-ongeluk... ook in het ziekenhuis deed ze vaak vreemd tegen ons. Wat is er gebeurd met jullie, pa... Als u er niet over wilt praten, dan kunnen wij u ook niet helpen.'

Thomas richt zijn hoofd op, kijkt zijn dochter aan en antwoordt: 'Het is misgegaan toen die vent hier weer in het dorp was.'

'Welke vent?' vraagt Tom.

'Die Wibe Lans...'

'Heeft ze die dan ontmoet?'

'Ja...'

'Echt?'

'In het ziekenhuis... zijn moeder lag naast haar.'

'Zijn moeder is overleden,' zegt Wil.

'Ja... ik weet het...'

'Dus hij was bij zijn moeder in het ziekenhuis en heeft toen met ma gesproken?' vraagt Tom.

'Hij hield haar hand vast toen ik onverwachts binnenkwam en ik heb hen horen praten over vroeger. Ze waren zo diep in gesprek dat ze mij niet in de gaten hadden.'

'Nou ja... over vroeger... ma heeft het toen toch uitgemaakt,' zegt Tom.

'Toch is ze veranderd sinds ze hem weer ontmoet heeft. Hij belde elke avond.'

'En sprak ma met hem?'

'Nee... ik nam de telefoon op en heb hem vaak gewaarschuwd. Ook heb ik het mobieltje bij mij in de bureaula verstopt. Toen ze weg was, zag ik dat ze het heeft gevonden en heeft meegenomen.'

'Haar eigen mobieltje?'

'Ja.'

'Dus u denkt echt dat ma nog verliefd is op die Wibe?'

'Ik weet het niet... we hadden een goed huwelijk... nou ja, er was weleens wat, maar dat komt bij elk huwelijk voor en vooral de laatste tijd was ik nogal gespannen omdat de zaak steeds verder achteruitging... ik kon het allemaal niet meer verwerken... en toen ik merkte dat ze met die vent...' Thomas laat opnieuw zijn hoofd zakken en houdt zijn handen voor zijn gezicht.

'Maar... pa... zo is ma niet en dan na dertig jaar... U moet daar echt niet over piekeren. U bent gewoon wat jaloers geworden. Ze hebben elkaar na dertig jaar in het ziekenhuis ineens ontmoet en dat kan weleens wat emoties oproepen. Die man is misschien wel getrouwd en heeft misschien in Canada ook wel kinderen. Hij zal wel teruggaan nu zijn moeder overleden is, als hij hier in Nederland de zaken heeft afgewikkeld,' zegt Tom.

Thomas haalt zijn schouders op, schudt zijn hoofd en antwoordt: 'We hebben er vandaag weer ruzie over gehad en toen is het misgegaan en is ze kwaad weggegaan.'

'Dus u bent te ver gegaan?' vraagt Wil.

'Ja... het is mijn schuld dat ze wegging,' antwoordt Thomas eerlijk.

'Ze zal wel weer terugkomen, daar ken ik ma te goed voor,' zegt Tom.

'Het is te hopen,' zegt Wil, die haar moeder heeft ontmoet en weet dat ze behoorlijk overstuur was. Ze is niet zomaar weggegaan, er moet echt wel wat gebeurd zijn.

17

Leeft ze in een droom... is dit echt... Waarom is ze niet thuis bij haar man? Fia gaat rechtop zitten.

'Gaat het alweer wat beter?'

'Ja... maar ik mag dit niet doen...'

'Wat mag jij niet doen?'

'Ik ben een getrouwde vrouw.'

'Dat zegt mij niks.'

'Toch mag dit niet, Wibe...'

Wibe neemt haar hoofd tussen zijn handen en zoent haar op haar lippen.

Ze trekt zich terug en kijkt in zijn donkerbruine ogen... het zijn de ogen van dertig jaar terug.

'Wibe... Wibe, ik heb zo naar je verlangd toen ik niet meer met je mocht gaan. Het lijkt of ik terug ben in het verleden... het kan niet echt zijn. Het is te laat... Ik ben getrouwd met Thomas en heb twee kinderen van hem.'

'Toch ben ik van je blijven houden... je was nooit uit mijn gedachten. Je bent nog steeds dezelfde als dertig jaar geleden. Mijn liefde voor jou is nooit echt overgegaan. Jij bent niet alleen maar een jeugdliefde voor mij. Dit was heel mijn leven het beeld dat ik voor mij had. Steeds was er dat verlangen naar jou,' zegt Wibe, terwijl hij haar opnieuw zoent.

'Maar...'

'Jij bent niet alleen een droom... je bent nu weer terug... ik begrijp heel goed wat jij voelt, Fia...'

'Nee... dat kun jij niet voelen zoals ik.'

'Waarom niet?'

'Wibe, ik heb een man en kinderen.'

'Houd jij van die man meer dan van mij, Fia?'

Fia staat op, loopt door de grote kamer en houdt haar handen voor haar gezicht terwijl ze snikt: 'Het is niet goed... het mag niet...'

Wibe loopt naar haar toe.

'Je bent wat overstuur, lieverd.'

'Nee... ik moet hier weg...'

'Nee, niet opnieuw... ik heb dertig jaar op je gewacht.'

'Het is te laat, Wibe...'

'Het is nooit te laat.'

'Jij hebt makkelijk praten. Jij hebt geen vrouw en kinderen.'

Dan gaat Wibe zitten en kijkt haar verdrietig aan.

'Wat is er, Wibe?'

'Ach, laat maar zitten... ga jij ook maar...'

'Nee Wibe, er is wat... zeg het mij.'

'Ik heb gelogen tegen je...'

'Wat heb je gelogen?'

Wibe staat weer op en loopt naar het raam dat uitkijkt op de prachtige tuin met bomen en struiken van allerlei soort.

Fia gaat naast hem staan.

'Zeg het mij, Wibe...'

'Je kunt het beter niet weten.'

'Heeft het met je moeder te maken?'

Wibe kijkt haar aan en antwoordt: 'Nee... mijn moeder heeft een rustig en goed leven gehad en is niet meer...'

'Heb je er verdriet om... mis je haar?'

'Nee... ik had haar hier al achtergelaten en ben als het ware gevlucht naar Canada. Elk jaar bezocht ik haar.'

'Waarom heb je mij nooit gebeld als je in Nederland was in het begin?'

'Ik schreef je brieven. Je gaf nooit antwoord op mijn brieven en ik wilde jouw huwelijk niet kapotmaken. Mijn moeder vertelde mij over jou en je kinderen.'

'Hoe wist je moeder van mij?'

'Je hebt een vriendin bij ons op kantoor op de vleesfabriek. Zij kwam veel bij mijn moeder.'

'Je bedoelt Janna?'

'Ja, Janna.'

'Zij heeft mij nooit verteld over je moeder.'

'Nee, dat mocht ze niet van mijn moeder. Zij zorgde voor de brieven die ik jou schreef zodat je man er niet achter kwam.'

'Dus je wist dat ik getrouwd was en kinderen had?'

'Ja... dat hield mij steeds van jou weg. Vaak reed ik langs jullie huis om een glimp van je op te vangen... ik verlangde ernaar je te zien, in plaats van alleen maar naar een oude foto van je te kijken die ik altijd bij mij draag...'

Wibe laat haar de foto zien. Het is een jeugdfoto van dertig jaar terug. Hij is verkreukeld en geel geworden.

'Waarom hebben wij het zover laten komen?' zegt Fia als ze hem de foto teruggeeft.

'Wat bedoel je?'

'Dat ik mijn ouders gehoorzaamde en het uitmaakte.'

'Dat had je nooit moeten doen... ik was er kapot van... je hebt heel mijn leven verwoest,' zegt Wibe, terwijl hij haar aankijkt met betraande ogen.

'Het is mijn schuld... hoewel ik wel van je bleef houden.'

'Maar waarom ben je dan toch met hem getrouwd?'

'Wat moest ik anders?'

'Je gaat toch zomaar niet met iemand trouwen. Je houdt van hem... zeg het maar eerlijk.'

Fia haalt haar schouders op.

'Waarom, Fia?'

'Ik kon niet anders... mijn ouders en mijn zusje dat om het leven kwam door die vreselijke brand.'

'Moest ik daarvoor aan de kant gezet worden? Wat had ik met die brand te maken? Ik heb nog geprobeerd je zusje te redden... Fia, het ging bij jullie om het geloof. Ik was een heiden en paste niet in het straatje van jullie kerk. De kerk was de baas bij jullie en ik was een ongelovige. Zeg het maar eerlijk?'

'Je hebt wel gelijk... maar in die tijd was het moeilijk... dat weet jij ook wel...'

'Nu sta je hier in ons ouderlijk huis, Fia... wat bracht jou hier? Je bent uit jezelf naar mij gekomen... zeg het maar eerlijk, Fia.'

Fia kijkt hem aan en knikt.

'Dus je verlangde wel naar mij?'

'Ja... ik had geen rust en wilde je ontmoeten... je bleef ook in mijn leven, ook al was ik getrouwd met een ander. Hoe ouder ik werd, hoe meer ik aan je dacht en vooral toen de kinderen zelfstandiger werden kwam het verleden sterker terug. Ik kreeg nachtmerries... vooral toen mijn zoon een meisje kreeg. Mijn man was ertegen.'

'Je bedoelt dat je zoon een meisje heeft dat niet naar de kerk gaat?'

'Ja... toen voelde ik opnieuw dat het niet goed is... ik moest er zelf mijn hele leven mee leven.'

'Waarom toch?' vraagt Wibe opnieuw.

'Ik kon niet anders, Wibe.'

'En je zoon?'

'Die is het huis uit en werkt bij haar vader in de zaak. Hij wil niks met zijn vader te maken hebben.'

'Het gaat niet zo goed met de zaak van je man. Is er niet

brand geweest en moet hij daar niet weg?'

'Ja. Er komt nieuwbouw voor in de plaats. Mijn man wil daar niet weg.'

'Heeft hij het zelf in brand gestoken voor de verzekering?'

'Nee… mijn zoon Tom.'

'Dus toch?'

'Wij waren niet verzekerd. Het was geen opzet van mijn man.'

'Waarom deed je zoon het dan?'

'Hij dacht ook dat wij verzekerd waren tegen brand en schade.'

'Maar wie is er nou zo dom om zich niet te verzekeren?'

'Van onze kerk doen ze dat niet.'

'Daar heb je weer de kerk. Die kerk heeft al heel wat kapotgemaakt in jouw leven en ook in mijn leven.'

'Maar jij gelooft nu toch ook?'

'Ja… ja, ik geloof in God, maar niet in een kerk,' antwoordt Wibe wat onverschillig.

'Dus je gaat niet naar een kerk?'

'Onze kerk in Canada is gewoon een gebouw waar wij samenkomen. Het is het huis van gebed.'

'Dat is toch hetzelfde?'

'Nee, Fia, er is een groot verschil. Jullie kerk lijkt veel op een afgod. Het gaat bij jullie om de kerk en de mensen van die kerk. Bij ons gaat het in de eerste plaats om God en Zijn genade en barmhartigheid. Wij leven vanuit het geloof en hebben elkaar lief als broeders en zusters. Dat is het verschil, Fia. De grootste zondaar of heiden is bij ons welkom,' antwoordt Wibe.

'Dat is bij ons toch ook zo?'

'Nee, Fia… zondaars gaan niet naar de kerk en daar is de

kerk niet voor. Maar God roept zondaars en niet de rechtvaardigen.'

'Je gaat wel erg ver, Wibe.'

'Jullie maken zelf wetten.'

'Wel vanuit Gods Woord.'

'Dat zal wel waar zijn, maar die passen jullie aan bij jullie menselijke gedachten en jullie handelen niet zoals God
het bedoeld heeft.'

'Dat zeg jij.'

'Ja, dat zeg ik. De samenvatting van de wet blijft staan:
God liefhebben boven alles. Ik weet, dat ik dat niet kan en
mijn naaste liefhebben als mijzelf, ook dat kan ik niet. Het
is hetzelfde als de Tien Geboden die wij ook niet kunnen
houden. De Heere Jezus zegt dat wij elkaar lief moeten
hebben en daar mankeert het bij jullie aan. Er wordt weinig gepreekt over de liefde tot God en de naaste. Lees
1 Corinthiërs dertien, dan weet je dat de liefde boven alles
staat. Je kunt een groot geloof hebben, maar als je Zijn liefde niet kent, dan kun je voor God niet verschijnen, want
God is Zelf een en al liefde. Hij had de wereld zo lief dat
Hij Zijn Zoon gaf voor zondaars en niet voor mensen die
zichzelf rechtvaardigen omdat ze zo godsdienstig zijn,' legt
Wibe uit.

'Hoe ben je zo tot het geloof gekomen?'

'Dat is een verhaal apart. Jullie geloof heeft mijn leven
en dat van jou kapotgemaakt... ik heb het kunnen dragen
door de liefde die God mij gaf.'

'Dus je bent wel gelukkig geweest zonder mij?'

'Niet echt...'

'Hoe ben je tot geloof gekomen?' vraagt Fia opnieuw.
'Vroeger wilde je er niets mee te maken hebben.'

'Geloven ga je niet uit jezelf en dat kunnen mensen je

ook niet geven. Hij Zelf grijpt in je leven in en het is Zijn genade en barmhartigheid en liefde om zelfs een mens die een hekel aan God en Zijn Woord had op de knieën te brengen. Hij liet zien dat er voor mij ook nog zoiets als liefde bestond.'

'Hoe bedoel je dat?'

'Ik zei net, dat ik je heb voorgelogen...' antwoordt Wibe dan wat moeilijk.

'Ja... dat is zo... wat bedoel je daarmee?'

Wibe kijkt Fia recht in de ogen en zegt voorzichtig: 'Ik ben wel getrouwd geweest...'

'Echt...?'

'Ja...'

'Waarom vertel je mij dat niet eerlijk en heb je mij voorgelogen dat je nooit een andere vrouw wilde, omdat je mij niet kon vergeten?' zegt Fia geschrokken.

'Zij kwam op mijn pad.'

'Ja, dat begrijp ik. Thomas kwam ook op mijn weg.'

'Nee, nee Fia, nu moet je niet boos worden... ik beken dat ik je heb voorgelogen, omdat ik bang was je niet te mogen ontmoeten.'

'Dat is dan wel schijnheilig van je.'

'Fia, ik bedoel als ik zeg dat ze op mijn pad is gezet, dat God dat heeft gedaan.'

'Mooi geloof,' spot Fia.

'Ja Fia, een mooi geloof... ik ben een tijdje ernstig ziek geweest. De doktoren hadden mij opgegeven. Zij bezocht mij vanuit de kerk, hoewel ik nog nergens aan deed. Ze bleef steeds komen.'

'Wat mankeerde je?'

'Kanker, darmkanker. Ze las in het ziekenhuis mij voor uit haar Bijbeltje en bad met mij. Ik ging haar zien als een engel uit de hemel... je moet niet vergeten dat ik voor de dood stond. Er gebeurde een groot wonder. Ik was een tijdje uit het ziekenhuis bij mij thuis in Canada. Ook daar bleef zij mij opzoeken. Ik kreeg medicijnen voor de pijn. Ik was zo ziek dat ik niet meer uit bed kon. Ik had in heel mijn leven nog nooit echt gebeden. Toen heb ik midden in de nacht mijn handen gevouwen en heb Hem de hele nacht aangeroepen... toen gebeurde er iets wat ik zelf nog niet kan begrijpen... ik deed niet anders dan Hem aanroepen en vroeg of Hij mij nog een kans wilde geven... Om kort te gaan: ik werd beter. Elke dag knapte ik wat op en na een halfjaar kon ik uit bed en wat wandelen. De artsen stonden verbaasd te kijken toen ik in het ziekenhuis onderzocht werd. Zij vonden het een Godswonder. Het waren gelovige artsen.'

'En die vrouw waar je het over had?'

'Zij was al die tijd bij mij. Ik woonde alleen. Zij heeft mij al die tijd verzorgd, dag en nacht...'

'Ook 's nachts?'

'Ja, ook 's nachts. Zij zong vaak psalmen en geestelijke liederen met mij.'

'Ben je toen met haar getrouwd?'

'Ja... ze nam mij mee, toen ik beter was, naar een gebouw waar veel gebeden werd en gezongen en ook werd er gepreekt, maar heel anders dan bij jullie. Al die tijd dat ik ziek was hebben ze daar voor mij gebeden en ze noemden mij: broeder Wibe... dat deed mij zo goed... ik heb daar in die kerk vaak gehuild als een kind en voelde dat God al die mensen op mijn weg had gezet... ik ben nooit zo rijk geweest als in die tijd toen ik zo ziek was.'

'Was zij ook van die gemeente?'

'Ja... zij zocht mij op vanuit die gemeente en zo kwam ik

in die gemeente terecht. Zij kwam bij mij wonen en ik kwam vaak bij haar ouders. Het ware gastvrije mensen.'

'Heel anders dan mijn ouders, zul je bedoelen,' zegt Fia wat kort.

'Dat is zo... maar jouw ouders waren niet wijzer. Die mensen hadden iets en daar werd ik door aangeraakt. Het was Gods liefde.'

'Ben je toen met haar getrouwd?'

'Ja... maar het was van korte duur... ze is door een auto-ongeluk om het leven gekomen,' antwoordt Wibe, terwijl hij snel een traan wegveegt.

'Hield je van haar?'

Ja... maar het was anders dan met jou. Zij hield erg veel van mij en ik was gelukkig met haar.'

'Dus je was gelukkig toen je met haar getrouwd was?'

'Toch niet volmaakt.'

'Wie wel?'

Fia, je wilt mij niet begrijpen... je weet heel goed wat ik bedoel. Liefde kun je niet dwingen en er brandde altijd nog dat vonkje in mij. Toen ik jou bij mijn moeder in het ziekenhuis ontmoette werd dat vonkje opnieuw een vlam en zette mij in een soort brandende liefde en verlangen naar jou... alles van vroeger kwam weer naar boven. Het verlangen om je te zien... je aan te mogen raken... Fia, je weet niet wat het is. Jou te mogen zien en aanraken en in die blauwe ogen te mogen kijken... ik werd er gek van... ik heb gebeden. Vroeger kon ik niet bidden om jou toen je het uitmaakte. Er was een soort haat tegen je ouders en alles wat met het geloof en de kerk had te maken.'

'Je hebt nog steeds een hekel aan onze kerk als ik het zo hoor.'

'Nee, dat niet... het is alleen de wijze waarop jullie met

het geloof omgaan en soms mensen pijn doen door ze af te wijzen en boven ze te gaan staan. Misschien is er nu wat veranderd bij jullie in de kerk.'

'Dat wel, ja. Het is niet allemaal meer zoals vroeger… niet dat het dan ook beter geworden is,' antwoordt Fia ernstig.

'Hoe denk jij nu dan over je eigen zoon?'

'Wat het geloof betreft?'

'Ja…'

'Hij zal wel met dat meisje gaan trouwen en nooit meer in een kerk komen. Hij komt nu al niet meer in de kerk,' antwoordt Fia eerlijk.

'Vind je het erg?'

'Wie zou dat als moeder niet erg vinden?'

'Het gaat wel om het geluk van je zoon, Fia.'

'Daarom hoeft hij de kerk niet in de steek te laten.'

'Je zegt de kerk.'

'Ja, wat anders?'

'Het zou veel erger zijn als hij God in de steek zou laten… ik bedoel als God hem in de steek laat.'

'Als je in God gelooft, dan ga je ook naar de kerk,' antwoordt Fia.

'De kerk is niet zaligmakend.'

'Toch is het een middel door God ons gegeven,' antwoordt Fia.

'Ik hoop voor je zoon dat er ook zoveel voor hem gebeden wordt als er voor mij gebeden is, Fia…'

Fia geeft geen antwoord en laat zich een diepe zucht ontglippen.

Dan voelt ze een hand op haar arm. Wibe trekt haar naar zich toe en kijkt haar aan zonder wat te zeggen.

Fia voelt zich warm worden van binnen. Is dat die vonk

van haar jeugdliefde die nu ontvlamt... is dit dezelfde Wibe van vroeger waar ze zo van heeft gehouden... na dertig jaar staan ze weer tegenover elkaar... ze kent nu ook zijn verleden en wat een verleden. Hij gelooft in God waar ze jaloers op is. Er gaat een warmte uit van zijn geloof die ze thuis nooit gevoeld heeft... ook niet bij haar man Thomas, die zelfs ouderling is. Dan komt ook die jaloersheid naar boven. Hij is getrouwd geweest. Hij heeft ook van een andere vrouw gehouden... toch voelt ze de warmte van zijn liefde als hij haar tegen zich aan drukt en haar zoent alsof er geen dertig jaar voorbij zijn gegaan.

'Wat heb ik hiernaar verlangd... mijn lieve Fia...'

'Ja lieverd... mijn Wibe... ik ook... maar het mag niet...'

Ze rukt zich los en gaat op een stoel zitten.

'Wat is er, Fia?'

'Het mag niet, Wibe. Ik ben getrouwd met Thomas... hij is mijn man.'

'Houd je van hem?'

'Je mag het mij niet zo moeilijk maken... je weet heel goed, nu je ook in God gelooft, dat het niet mag...'

'Daar heb je gelijk in, Fia... maar liefde gaat vaak een weg die wij zelf niet tegen kunnen houden. Jij bent mijn jeugdliefde die ik niet kan vergeten, ook niet toen ik met die ander getrouwd was... jij was altijd in mijn hart. Je was voor mij bestemd en niet voor de man waar je mee getrouwd bent... zo zie ik het, Fia.

Fia laat haar hoofd zakken en huilt. Wibe legt zijn arm om haar heen en troost haar. Hij merkt dat hij voorzichtig met haar moet omgaan. Ze is behoorlijk overstuur en heeft het moeilijk, nu ze een zo moeilijke beslissing moet nemen... het is hij of haar man Thomas...

18

Buiten wordt het al donker. Thomas zit voorovergebogen in de schemerige kamer.

Waarom moet alles zo lopen... Fia, zijn Fia... het kan niet waar zijn. Is hij dan net als Job in de Bijbel die alles kwijtraakte behalve God...'

Nee, hij is ook God kwijt. Hij heeft moeten bedanken als ouderling. Als een ouderling zijn eigen gezin niet goed kan regeren, hoe kan hij het dan anderen voorhouden?

Heeft hij het dan niet goed gedaan? Heeft hij zelf schuld? Hij heeft toch geprobeerd als een christen te leven en is zich nooit te buiten gegaan in dingen die veel mensen normaal vinden. Waarom moet God hem dan straffen? Is het een straf van God... of heeft hij het zelf verkeerd gedaan? Heeft hij niet alles gedaan wat in zijn vermogen lag om de zaak van zijn vader te leiden? Er is niet veel van overgebleven.

Zelfs de grond heeft hij moeten verkopen. Nou ja, hij kan er een ander pand voor terugkopen, maar het zal nooit meer zo worden als vroeger. Hij is stil blijven staan. Er zijn makelaars die pas zijn begonnen en goede zaken doen. Hij heeft nog maar een paar huizen in de verkoop en er komt niets bij... ach, wat maakt het uit... Fia... waarom, Fia... ik ben toch altijd een goede man voor je geweest en een goede vader...

Thomas weet het niet meer. Hij staat op en toetst het nummer van Fia's mobieltje in.

Ze neemt niet op. Hij probeert het steeds opnieuw, totdat hij haar stem hoort.

'Met mij…?' klinkt haar stem angstig.

'Fia… Fia, waar ben je…?'

'O… o, Thomas…?'

'Ja, met mij… zeg waar je bent, dan haal ik je op, Fia…' smeekt hij.

'Dat kan ik niet… nee, Thomas…'

'Ben je bij hem?'

'Nee…'

'Zeg waar je bent… ik heb spijt… kom naar huis…'

'Nee, Thomas…'

'Waarom niet?'

'Dat weet je heel goed… je hebt mij geslagen en…'

Dan hoort hij een mannenstem op de achtergrond.

'Ben je toch bij hem?'

'Ja Thomas, ik ben bij hem.'

'Waarom… ik ben je man, Fia… dit mag je niet doen.'

'Dat maak ik zelf wel uit.'

'Ik kom je halen.'

'Als je het maar uit je hoofd laat… als je hier komt, gaat het zeker fout,' antwoordt Fia nerveus.

'Waarom ga je naar hem toe… houd je dan niet meer van mij… dit kun je toch niet maken? Fia, wij zijn getrouwd en hebben samen kinderen…'

'Dat weet ik, Thomas.'

'Wat is er toch met je aan de hand?'

'Je wilde nooit naar mij luisteren… je wilde mij niet begrijpen!'

'Laten wij het dan uitpraten… je bent mijn vrouw… kom alsjeblieft naar huis, denk ook eens aan mij en de kinderen. Je kunt maar zo niet naar een andere man gaan.'

'Wie zegt, dat ik verkeerde bedoelingen heb? Hij is een oude vriend van mij.'

'Nee, Fia, er is meer tussen jullie... het mag niet, Fia... ik kan je niet missen.'

'Ga nou niet zielig doen... dat heb je nooit laten merken.'

'Ik weet dat ik niet zo ben... ik bedoel...'

'Nou, wat bedoel je?'

'Dat ik niet romantisch ben...'

'Daar gaat het niet om, Thomas. Ik ben dertig jaar met je getrouwd en ik weet heel goed met wie ik getrouwd ben.'

'Heb ik het dan al die jaren verkeerd gedaan, Fia?'

'Jij maakt je druk om niks. Ik ben gewoon bij een vriend die zijn moeder pas begraven heeft. Wij kennen elkaar nog van vroeger. Heb je daar wat tegen? Moet jij dan gelijk gaan denken dat ik verliefd op hem ben?'

'Fia, je moet er niet omheen draaien.'

'Waar omheen?'

'Ik heb die brieven gevonden en er een paar gelezen... je houdt nog steeds van hem.'

'Dat is gemeen... je moet van mijn spullen afblijven,' antwoordt Fia fel.

'Niet van brieven die van een man komen die mijn vrouw het hoofd op hol brengt.'

'Je begrijpt er niks van.'

'Toch wel, die brieven zeggen mij genoeg.'

'Ik heb er nooit antwoord op gegeven... eerlijk waar.'

'Waarom ben je dan bij hem?'

'Dat heb ik je net verteld. Zijn moeder is overleden en daarom is hij in Nederland en ben ik hem gaan opzoeken.'

'Dat is niet goed... je weet dat hij achter je aan zit... hij is nog steeds verliefd op je.'

'Thomas, ik praat er verder niet meer over. Het heeft toch geen zin.

'Ik kom wel naar jullie toe.'

'Dan ben ik hier toch niet meer,' antwoordt Fia, waarna ze haar mobieltje uitdoet.

Thomas legt de hoorn op het toestel en pakt het stapeltje brieven dat hij gevonden heeft achter in de klerenkast in een schoenendoos. Hij is op speurtocht geweest en vond de doos met brieven. Hij vertrouwde haar niet meer sinds hij in het ziekenhuis zag dat die vent haar hand vasthield. Het sneed als een mes door zijn ziel. Hij herkende die kerel gelijk.

Het is waar, dat ze hem nooit heeft teruggeschreven. Zou ze niet meer van hem houden? Waarom heeft zij die brieven dan niet verscheurd en er met hem over gesproken? Die brieven kwamen aan op een ander adres. Hij kent het adres niet. Het moet afgesproken zijn. Iemand moet haar steeds die brieven gegeven hebben. Dus er is nog iemand die ervan weet. Hij kan het adres in het telefoonboek opzoeken. Nee, laat hij dat niet doen. Hij moet het uitpraten... hij kan niet verder zonder Fia. Hij wil haar niet verliezen aan die kerel. Hij is schatrijk... alleen al dat landgoed en nu is zijn moeder gestorven en zal hij alles erven. Hij was enige zoon. In zijn brieven laat hij merken dat het zo mooi is in Canada en dat hij haar op wil halen om een tijdje bij hem te komen om het uit te praten. Hij houdt nog steeds van haar.

Vergeet zo'n vent dan dat ze getrouwd is? Ach ja... het gebeurt tegenwoordig zo vaak dat men om niks gaat scheiden en niet alleen bij jongelui. Hij kent ook gezinnen van de kerk, waar hij het nooit van gedacht had, die uit elkaar zijn, maar dat hem zoiets zou overkomen... met zijn Fia. Heeft ze te weinig liefde van hem ontvangen? De laatste tijd was hij vaak zwaarmoedig omdat zijn makelaarskantoor eraan ging en vanwege de problemen met Tom. Heeft hij zich daar te druk om gemaakt en te weinig aan zijn vrouw gedacht...? Ze sliep de laatste tijd slecht en zat uren beneden in de kamer. Hij heeft nooit kunnen denken, dat ze nog aan die oude liefde van vroeger dacht... kan zoiets dan nog na dertig jaar... waarom bleef die vent haar brieven sturen? Het is toch niet normaal... is hij dan al die jaren blind geweest...?

Hoe komt het dat hij er nooit wat van gemerkt heeft? Hoe kan hem zoiets overkomen? Zij heeft toch altijd van hem gehouden en hij van haar? Ze waren toch gelukkig?

Het kan pijn doen als je weet dat iemand van je vrouw houdt, maar je gaat er kapot aan als je merkt dat je vrouw van een ander houdt.

Thomas staat op en haalt de fles jenever uit het rek en neemt een paar slokken. Hij dronk nooit overdag, maar de laatste dagen drinkt hij te veel en kan hij zijn werk niet meer doen. Hij zit nog steeds in het donker in de kamer. Hij is gewend aan het donker. Waarom zou hij een lamp aandoen? Als hij... nee, hij moet er niet aan denken... als Fia hem zal verlaten, dat zal hij nooit aankunnen. Hij heeft nooit aan zoiets gedacht... nee, zijn Fia zal zoiets nooit doen. Zij gelooft immers in dezelfde God als hij. Ze knielden voor het bed voor ze gingen slapen. Het kan gewoon niet waar zijn. Hij zou er beter tegen kunnen als hij haar kwijt zou raken aan de dood en ze er niet meer zou zijn, dan als ze hem voor een andere man zou verlaten.

Thomas neemt nog een paar slokken. De alcohol begint te werken en maakt hem meestal emotioneel.

Nee, dat mag hij niet... hij zal er kapot aan gaan... hij moet naar haar toe...

Dan gaat de deur van de woonkamer open.
'Fia... Fia, ben jij het...?' zegt Thomas.
Het licht wordt aangeknipt.
'Maar pa, u zit helemaal in het donker...?'
'O... ben jij het...'
'Dacht u dat ma het was?'
'Ja, ze is...' Verder komt Thomas niet.
'Er is toch niets gebeurd met ma?' vraagt Wil ongerust.
Thomas geeft geen antwoord en neemt een paar slokken uit de fles.
'U moet niet zoveel drinken, pa...'
'Je moeder...'
'Wat is er met ma?'
'Ze is... nee...' Verder komt Thomas niet. Hij laat zijn hoofd in zijn handen zakken en huilt zachtjes.
Wil gaat op de leuning van zijn stoel zitten en legt haar arm om hem heen en vraagt: 'Gaat het niet goed met u en ma?'
Thomas schudt zijn hoofd.
Dan ziet Wil de brieven op de tafel liggen en staat op.
'Van wie zijn die brieven?'
'Van je moeder...' snikt Thomas die te veel heeft gedronken en wie het niet kan schelen dat zijn dochter de brieven leest.
Wil leest een paar brieven en kijkt dan verbaasd naar haar vader en vraagt: 'Heeft u hier nooit iets van geweten?'
Thomas schudt zijn hoofd.
'Het is schande... hoe kon ma zoiets doen...'
Thomas steekt zijn armen omhoog als een teken van onmacht en snikt: 'Ze is bij die vent...'
'Dat kan toch niet waar zijn... hoe lang is ze hier al mee bezig? Ze is niet goed bij haar hoofd!'

Thomas neemt nog een paar slokken en zegt dan: 'Ik heb haar gebeld of ze terug wilde komen…'

'En?'

'Ze zegt dat ze hem gewoon als een vriendin opzoekt, omdat zijn moeder is overleden.'

'En die brieven dan?'

'Ze heeft hem nooit teruggeschreven…' verdedigt Thomas nu zijn vrouw.

'Gelooft u dat?'

Thomas haalt zijn schouders op.

'Wat gaat u nu doen?'

'Wat kan ik doen… ik wacht wel tot ze thuiskomt.'

'Bent u niet bang dat ze bij hem zal blijven?'

'Dat mag niet… nee.'

'Wilt u haar eigenlijk wel weer terughebben? Die vent is nu bij haar, maar over een paar weken vertrekt hij naar Canada en laat haar dan zitten. Dat doen zulke kerels. Ze stikken in het geld en weten niet wat voor ellende ze teweegbrengen,' zegt Wil kwaad.

'Hij wil dat ze meegaat naar Canada,' antwoordt Thomas terwijl hij weer een paar slokken uit de fles neemt.

'Hoe weet u dat… heeft ze dat gezegd?'

'Nee… het staat in een van die brieven.'

'Ze lijkt wel gek. Hij zal toch wel getrouwd zijn en vrouw en kinderen in Canada hebben?'

'Dat weet ik ook niet. Hij is wel erg rijk. Misschien blijft hij wel hier op dat landgoed van zijn ouders wonen, nu zijn moeder is overleden. Hij heeft in de stad ook nog een vleesfabriek, die laat hij beheren door een neef van hem.'

'Ma zal toch niet met hem gaan omdat hij zo rijk is?'

'Dat weet ik ook niet…'

'Hoe kan zo'n kerel zoiets doen terwijl net zijn moeder begraven is.'

Thomas geeft geen antwoord en neemt nog een paar slokken uit de fles.

'Dus u heeft haar gebeld?'

'Ja...'

'Kunt u niet beter naar haar toe gaan?'

'Dat wil ze niet, dan gaat ze ervandoor... ze wil gewoon wat met hem praten.'

'Komt ze dan weer naar huis?'

Thomas haalt zijn schouders op.

Dan horen ze een deur opengaan.

'Hallo...'

'O... jullie komen mooi op tijd,' zegt Wil als ze haar broer met zijn meisje ziet binnenkomen.

'Zit u weer aan de fles?' zegt Tom, terwijl hij naar de keuken loopt en een blikje bier uit de koelkast haalt.

'Wat is hier aan de hand... is ma nog niet terug?' vraagt Tom, terwijl hij een slok bier neemt.

'Nee... moet je die brieven eens lezen,' zegt Wil, terwijl ze naar de tafel wijst.

Tom gaat aan de tafel zitten en leest een paar brieven.

'Die vent moet wel helemaal gek van ma zijn.'

Dan vertelt Wil wat er allemaal gebeurd is aan haar broer en zijn meisje. Thomas zit stil met zijn hoofd naar beneden.

'Ik ga er wel even heen en haal ma bij die kerel weg,' zegt Tom kort.

'Dat doe jij niet,' zegt Anja.

'Wat gaat jou dat aan?'

'Jullie weten niet wat er in jullie moeder omgaat. Natuurlijk is het niet goed te keuren. Toch moet je ook naar de achtergrond en het verleden kijken van jullie moeder,' zegt Anja.

'Na dertig jaar?'

'Ja... ik heb een programma op tv gezien...' zegt Anja.

'Laat de tv er alsjeblieft buiten. Wat daarop komt, is allemaal rommel,' zegt Wil fel.

'Toch niet... er zijn meer mensen die als ze ouder worden terugkeren tot hun jeugdliefde en daar doe je niks aan. Je kunt er wel met je moeder over praten, maar ze zal toch zelf moeten kiezen,' legt Anja uit.

'Praat niet zo stom,' zegt Tom.

'Tom, jij hebt ook dat programma gezien.'

'Die vrouwen en mannen zijn allemaal getikt als ze aan zo'n programma op tv meewerken,' antwoordt Tom.

'Dat zeg jij... toch gebeurt het heel vaak en vooral bij mensen als jullie moeder, die het uit moest maken omdat die man niet van jullie kerk was.'

'Die vent deugt niet,' houdt Wil vol.

'Het is jullie vader en jullie moeder en ik kan jullie reactie goed plaatsen. Maar stel dat Tom ook voor de kerk kiest en hij het uitmaakt met mij...'

'Daar hoef je niet bang voor te zijn,' valt Tom haar in de rede.

'Maar dertig jaar terug was dat heel anders en zeker ook omdat haar zusje omkwam bij die brand. Ze heeft het toen uitgemaakt, maar het was niet echt uit. Liefde kun je maar zo niet aan de kant zetten. Zij heeft die stap moeten nemen onder druk van haar ouders en de kerk,' legt Anja uit.

'Maar ze hield van pa en van ons. Wij zijn haar bloedeigen kinderen. Dan kun je niet na dertig jaar huwelijk met zoiets aankomen en een heel gezin kapotmaken.'

'Natuurlijk heb jij gelijk, Wil, maar toch gebeuren zulke dingen nu eenmaal. Het is heel erg voor je vader. Hij zal net zoveel van haar houden als die andere man waar ze nu is.'

'Ik kan mij zoiets niet voorstellen. Het lijkt wel of de wereld op z'n kop staat. Iedereen doet maar waar hij zin in heeft. Ze hebben het er steeds over dat jongelui tegenwoordig zo makkelijk gaan scheiden of samen gaan wonen, maar nu wordt het nog gekker. Je eigen moeder gaat naar haar jeugdliefde. Bespottelijk gewoon,' zegt Wil kwaad.

Thomas staat op en zegt: 'Gaan jullie maar... ik ben nu liever alleen... ze zal zo wel terugkomen... ik ga boven wat rusten...'

Niemand geeft antwoord. Ze horen Thomas de trap opgaan.

'Toch best zielig voor pa. Het is te hopen dat ma uit zichzelf terugkomt, anders ga ik ernaartoe om met haar te praten,' zegt Wil terwijl ze haar tranen droogt.

'Ze zal best terugkomen... maar als ik soms met je mee moet gaan, Wil?' vraagt Tom die merkt dat zijn zus het moeilijk heeft.

19

Het is een mooie zomeravond als Fia en Wibe op het terras van het landhuis zitten.

Fia is stil en kijkt naar de hemel waar al wat sterren beginnen te schitteren. Ze moet terugdenken aan haar jeugd toen ze hier ook met hem zat en ze gingen wandelen door het bos. Ze voelt zijn hand op de hare. Het lijkt alsof ze de laatste tijd steeds terugkeert naar het verleden.

'Wat ben je stil, Fia?' vraagt Wibe, die haar van opzij opneemt.

'Wibe, waarom zijn die jaren zo voorbijgegaan? De hemel en de sterren zijn dezelfde als toen. Wij waren toen nog een jong stel. Alles voelt aan als jaren terug.'

'Zo voel ik het ook, Fia, zo moeten wij het ook samen gaan beleven. Wij moeten al die jaren als een wolk voorbij laten gaan en samen een nieuw leven beginnen. Laten wij het verleden vergeten, maar teruggaan naar onze jeugd.'

'Maar dat is toch het verleden… dat kun je niet terughalen.'

'Dat bedoel ik nou juist. Je moet het zien als een roman. Het eerste gedeelte was mooi en vol van liefde en wij genoten van elkaars liefde. Toen was daar het midden van die roman en die bladzijden moeten wij verscheuren, alsof ze nooit bestaan hebben, en dan begint er een nieuw hoofdstuk in die roman en dat hoofdstuk gaan wij nu zelf schrijven. Elk leven heeft zijn eigen geschiedenis en zijn begin en einde. Nu is er een nieuw begin voor jou en mij. Wij zijn voor elkaar bestemd. Het noodlot heeft ons al die jaren uit elkaar gedreven.'

'Toch kun je het verleden nooit achter je laten.'

'Jawel Fia,' zegt Wibe, terwijl hij haar beide handen pakt en haar naar zich toe trekt. 'Eigenlijk is er voor mij geen verleden... je was altijd bij mij, ook al was ik ver weggevlucht voor jouw liefde.'

'Daar kun je niet voor vluchten. Je had het moeten aanvaarden.'

'Nee, dat kon ik niet. Vaak zag ik je beeltenis voor mij en werd ik gek van verdriet,' antwoordt Wibe, terwijl hij haar zoent.

'Waarom kom je daarmee na al die jaren?'

'Wat moest ik anders?'

Fia rukt zich los uit zijn omarming en kijkt hem aan en zegt: 'Waarom heb je zo lang gewacht... je schreef alleen maar brieven.'

'In die brieven heb ik je vaak gesmeekt om jou terug te krijgen, maar je liet nooit iets van je horen.'

'Maar je kwam bijna elk jaar in Nederland bij je moeder hier in dit landhuis. Waarom kwam je niet gewoon naar mij toe en heb je zo lang gewacht?'

'Fia, je wilde mij niet meer... je maakte het uit...'

'Goed... maar je kon toch bij mij terugkomen. Je wist van mijn liefde en zelf heb je het steeds over die liefde die je kapot heeft gemaakt... je bent te laat, Wibe. Ik heb een man en kinderen. Ik heb een ander leven achter de rug en jij ook. Wij zijn vreemden voor elkaar geworden. Jij hebt een eigen leven achter de rug met een vrouw waar je van gehouden hebt.'

'Wie zegt dat ik van haar gehouden heb?'

'Anders was je niet met haar getrouwd.'

'Als ik haar in mijn armen had en mijn ogen sloot, dan was jij daar, zo kon ik genieten van haar liefde, maar mijn gedachten waren bij jou,' zegt Wibe met een stem vol emotie.

'Toch hebben wij het allemaal aan onszelf te danken. Ik had het niet uit moeten maken... ik hield erg veel van je en hoopte in het begin steeds dat je mij weghaalde uit het benauwde leven bij ons thuis.'

'Dat heb ik ook gedaan... ik kwam zelfs bij je op het kantoor waar je werkte. Je stuurde mij weg... wilde niets met mij te maken hebben. Je ging al snel met de zoon van je baas trouwen. Je gooide als het ware een emmer koud water over mij heen. Het deed mij pijn toen je met hem ging trouwen.'

Dan kijkt Fia hem aan en vraagt: 'Is het waar dat jij iets te maken had met die brand bij ons thuis?'

'Hoe kom je daar nu bij?'

'Er werd over gesproken. Zelf kon ik het ook niet geloven, omdat wij samen op de dijk liepen dicht bij onze boerderij en het noodweer ons overviel en wij zelf zagen hoe de bliksem insloeg.'

'Hoe kun je dan zo'n vraag stellen?'

'Omdat erover gepraat werd en je een hekel aan mijn ouders had.'

'Maar je was er toch zelf bij toen het gebeurde. Ik heb nog geprobeerd je zusje te redden terwijl anderen toekeken... hoe kun je zoiets denken?'

'Haat kan een mens ver brengen, Wibe... Je was bang dat ik mijn ouders toch zou gehoorzamen... ik wilde het toen al vaak uitmaken omdat je niks met de kerk te maken wilde hebben en ook omdat je uit een heel ander milieu kwam. Ik was een dochter van een arme boer en jij was de zoon van een rijke landheer. Je ouders bezaten een groot landgoed en een fabriek in de stad. Het kon niet samengaan in die tijd en dat werd mij altijd voorgehouden door mijn ouders, maar ook door de mensen van het dorp.'

'Toch wist je wel beter... wij hielden van elkaar en onze liefde was sterk genoeg om het leven aan te kunnen. Liefde gaat boven rijkdom... ik heb nooit op jou en je ouders neergekeken en mijn ouders ook niet, Fia...'

'Dus je had niets met die brand te maken?'

'Hoe kom je daar ineens op?'

'Ik hoorde dat van mijn dochter. Die had het gehoord in ons dorp, toen ze hoorden van onze verhouding van vroeger.'

'Maar ik was toch bij jou op het ogenblik van de brand. Jij weet zelf toch beter.'

'Dat heb ik ook verteld, maar men zegt dat je het door een ander hebt laten opknappen en voor geld doen mensen veel.'

'Dat geloof je toch zelf niet, Fia?'

'Nee... nee, aan zoiets heb ik zelf nooit gedacht. Alleen, nu wij elkaar ontmoeten... ik bedoel, toen de kinderen hoorden over onze jeugdliefde van een man van onze leeftijd die alles weet van ons. Mijn zoon werkt bij hem.'

'Wie is die man? Ken ik hem?'

'Dat weet ik niet.'

'Waar werkt je zoon dan?'

'Bij een handelaar in onroerend goed.'

'Dan weet ik wel wie je bedoelt. Het is zeker die Sander Terloop die vroeger bij de gemeente werkte en achter de vuilniswagen liep. Hij heeft zich behoorlijk opgewerkt tot een van de grote zakenmensen van de stad.'

'Hoe weet jij dat?'

'Toen mijn moeder was overleden en begraven was, belde hij mij na een week op.'

'Over ons?'

'Nee, dat niet.'

'Over de brand soms?'

'Ook niet... trouwens, ik begrijp niet dat die man zulke dingen over mij vertelt. Zo zie je maar weer, mensen hebben een grote fantasie.'

'Waarom belde die Sander Terloop jou op?'

'Over een paar huizen die ons eigendom zijn. Hij wilde ze opkopen voor een of ander project. Ze staan dicht bij het kantoorpand van jullie.'

'O... dat wist ik niet. Dus jullie hebben daar ook een kantoor?'

'Nee, het zijn een paar oude herenhuizen die wij na de dood van mijn vader verhuurden aan zakenlui die daar een kantoor vestigden.'

'Ons kantoor is afgebrand,' zegt Fia dan.

'Dat is ook zo! Je man wilde niet verkopen. Zelf denk ik dat Terloop het pand van je man in de fik heeft gestoken om zo op een makkelijk manier aan de grond te kunnen komen,' zegt Wibe.

'Hij gaf jou ook daar de schuld van. Het was wraak van jouw kant omdat jij mijn man wilde straffen.'

'Heeft hij dat echt allemaal over mij verteld? Dan zal ik hem eens aan zijn verstand brengen dat dat zomaar niet gaat. Stom van mij dat ik die panden aan hem heb verkocht. Die kerel is nog niet klaar met mij,' zegt Wibe nu kwaad.

'Ja Wibe, maar mijn zoon heeft de brand gesticht.'

'Jouw zoon? Je eigen zoon heeft jullie kantoorpand in de fik gestoken?'

'Hij heeft het mij verteld. Die Sander Terloop heeft hem zover gebracht. Hij dacht dat het pand goed verzekerd was, maar mijn man is niet verzekerd en dat wist de jongen niet.'

'Zou die Sander Terloop dat gedaan hebben omdat je man zijn kantoorpand niet wilde verkopen? En dan aan jullie vertellen dat ik achter die brand zit en ook achter de brand van die boerderij van vroeger... wat een smeerlap van een kerel. Het is niet goed dat je zoon bij zo iemand werkt. Ik kan wel zorgen dat hij een goede baan bij ons in de vleesfabriek krijgt. Het is gevaarlijk om bij zo'n man te werken.'

'Wij hopen nog dat hij bij mijn man op het makelaarskantoor komt werken...' zegt Fia wat voorzichtig.

'Hoe denken jouw kinderen over onze verhouding?'

'Vind jij dat wij een verhouding hebben?'

'Fia, wees nu eerlijk. Je bent naar mij toe gekomen, je was in de war en hebt moeilijkheden met je man, en je kinderen zijn op zo'n leeftijd dat ze wel begrijpen wat er gaande is bij hun ouders.'

Fia gaat zitten, laat zich een zucht ontglippen en vertelt: 'Thomas en ik hebben er nooit met de kinderen over gesproken.'

'Waarom niet?'

'Ik deed er Thomas pijn mee en ook mijzelf.'

'Je had toch nergens schuld aan?'

'Al die tijd droeg ik een schuldgevoel bij mij in verband met mijn zusje dat omkwam in die brand.'

'Dat begrijp ik niet.'

'Je weet heel goed hoe mijn ouders waren... ze zagen het als een oordeel van God dat de bliksem insloeg en dat mijn zusje zo'n verschrikkelijke dood moest ondergaan in die brand. Bij zoiets blijven er littekens over, Wibe.'

'Dat jullie een groot verdriet moesten dragen, daar kan

ik inkomen, maar dat ze het zagen als een oordeel van God... nee, dat heb ik nooit kunnen begrijpen, zelfs niet nu ik tot geloof ben gekomen. Het is gewoon belachelijk als ik eraan denk,' zegt Wibe wat scherp.

'Zo mag je daar niet over praten, Wibe, mijn ouders zagen het nu eenmaal anders. Het waren eenvoudige gelovige mensen en ze zagen er Gods oordeel in.'

'En jij was de zondebok omdat je met mij ging, een heiden.'

'Dat niet alleen... jullie waren een heel ander soort mensen. Ik mocht geen omgang met jou hebben omdat jullie anders waren. Ze waren bezorgd om mij, omdat jij van andere afkomst was.'

'Toch hield je van mij. Je maakte het uit om je ouders en de kerk. Het is gewoon verschrikkelijk hoe mensen zo hard kunnen zijn tegenover hun eigen dochter die verliefd is op een eerlijke jongen.'

'Jij zag dat heel anders in die tijd, je mag niet over hen oordelen, Wibe.'

'Ze hebben wel mijn leven en dat van jou kapotgemaakt... ik moest vluchten naar Canada om je te vergeten en jij moest met een ander trouwen, met een man waar je niet van houdt, en nu staan wij hier na dertig jaar en branden onze verlangens nog...'

'Je gaat te ver, Wibe.'

'Waarmee?' vraagt Wibe terwijl hij haar bij de arm pakt en naar zich toe trekt.

'Wibe... nee Wibe... het is niet goed.'

'Toch wel, lieverd... ik voel je en ruik je haren net zoals vroeger... je bent voor mij dezelfde na al die jaren van verlangen... ik ben al die jaren in gedachten met je meegegroeid. Nooit is mijn liefde voor jou overgegaan...'

fluistert Wibe terwijl hij haar stevig tegen zich aan drukt en haar fel zoent.

Ook Fia omhelst hem nu en droomt met hem weg. Ze laat zich zoenen en wordt warm van binnen... het vuur van haar liefde voor Wibe is nooit echt gedoofd en het ontvlamt nu weer hevig bij hen alle twee. Twee mensen die elkaar liefhadden in hun jonge jaren en elkaar nooit konden vergeten. Wibe is van haar blijven houden en ook Fia heeft steeds haar verlangens moeten onderdrukken. Nee, het is geen lichamelijk verlangen. Het is een zuivere liefde in haar binnenste, vanuit haar hart, die niet meer te blussen is. Maar Wibe verlangt meer en dan is Fia's verstand sterker dan haar gevoel. Ze laat hem los, kijkt hem ernstig aan en fluistert: 'Nee, Wibe, dit kan niet... je gaat nu te ver...'

'Nee lieverd... je bent van mij... ik heb recht op jou... hier heb ik al die jaren op moeten wachten en dat laat ik mij niet opnieuw ontnemen.'

'Nee Wibe, dit kan niet, Wibe...'

Fia rukt zich los uit zijn wilde omhelzing, draait zich om en gaat naar binnen. Wibe blijft achter op het terras en voelt zich van binnen te kort gedaan. Even later loopt Fia weer naar buiten en gaat naar hem toe. Ze heeft haar jack aan en haar tas in haar hand.

'Je gaat toch niet weg...?'

'Het is voor ons alle twee beter, Wibe... het kan niet... ik kan het gewoon niet.'

Wibe loopt naar haar toe en ziet de tranen in haar ogen.

'Fia... Fia, je houdt van mij, waarom geef jij je niet gewonnen... wij zijn genoeg gestraft... wij horen bij elkaar... Fia, ik heb je lief. Je mag nu niet weggaan... wij horen bij elkaar...' fluistert Wibe, terwijl hij haar hand vastpakt.

'Nee Wibe...'

'Toch wel, Fia, wij zijn voor elkaar bestemd.'

'Het zou kunnen... maar het is nu eenmaal anders gegaan. Wij hebben ons leven niet in eigen hand. Mijn hart zegt ja, maar mijn verstand nee...'

'Volg dan je hart, lieverd. Het verstand heeft bij ons zoveel kapotgemaakt. Hier binnen in mij is het litteken veroorzaakt door het verstand van je ouders en van jou. Als je weggaat, zal dat litteken weer opengaan en zal er weer de pijn zijn... nee Fia, dit wil ik niet opnieuw... blijf alsjeblieft bij mij,' smeekt Wibe.

Fia keert zich om en gaat met haar jack aan in de kamer zitten.

Wibe gaat tegenover haar zitten en kijkt haar vragend aan.

'Wibe, ik ga terug naar mijn man,' zegt Fia beslist.

'Fia, laten we eerst rustig praten...'

'Wat valt er nog te praten?'

'Ik doe een voorstel... we kunnen niet zo uit elkaar gaan. Laten we ergens wat gaan eten, zoals wij vroeger weleens deden en er dan rustig over praten. Je mag zo niet uit mijn leven gaan... daar krijg je spijt van...'

'Nou goed... laten we ergens gaan eten... maar ik kan je niks beloven.'

'Dat hoeft ook niet.'

Wibe pakt haar hand en neemt haar mee naar buiten naar zijn grote Mercedes. Ze rijden de oprijlaan af zonder iets tegen elkaar te zeggen.

Wibe stopt bij een oud restaurant. Als ze uitstappen en voor het restaurant staan, kijkt Fia hem aan en zegt: 'Hier zijn wij vroeger weleens geweest...'

'Dus je bent het niet vergeten?'

'Nee… nee, hoe bestaat het? Ik ben hier al die jaren niet meer geweest.'

'Dan wordt het tijd, Fia.'

'Nou ja…'

Ze gaan naar binnen en gaan aan een tafeltje zitten in een wat donker hoekje.

'Er is hier niet veel veranderd in al die jaren,' zegt Fia terwijl ze om zich heen kijkt.

'Hier komt het verleden weer op je af… voel jij dat ook zo?' vraagt Wibe, terwijl hij haar hand pakt.

'Ja… het is lang geleden… vaak heb ik hieraan teruggedacht en nou zit ik hier echt.'

'Het gaat op een droom lijken, Fia… wij alleen kunnen er werkelijkheid van maken.'

Fia geeft geen antwoord.

Als ze gegeten hebben en nog wat drinken, kijkt Wibe haar aan en zegt: 'Wij moeten niet uit elkaar gaan. Als wij hier vannacht eens zouden overnachten en dan samen morgen een dagje uitgaan om elkaar opnieuw goed te leren kennen?'

'Nee Wibe, dat mag niet…'

'Wat mag niet?'

'Wij kunnen niet zomaar samen hier slapen…'

'Dat zal ook niet gebeuren… we nemen ieder een eigen kamer en praten dan morgen verder. Geef me alsjeblieft die kans, Fia…?'

'Goed… maar wat zal Thomas niet denken?'

'Daar kun je vannacht op je kamer over nadenken. Als je naar hem toe wilt gaan, doe het dan morgenvroeg. Ze zullen ons hier niet zoeken.'

Fia knikt.

20

Als Fia op haar hotelkamer is, gaat ze met haar kleren aan op het bed liggen. Ze laat het licht aan en staart naar het plafond. Ze is wat duizelig. Ze heeft meer wijn gedronken dan ze gewend is. Ze sluit haar ogen en kan haar tranen niet bedwingen. Het stormt in haar binnenste. Waar is ze mee bezig... ze ligt hier op een bed in een hotelkamer... ze zal moeten beslissen. Ze vouwt haar handen en wil bidden. Nee, ze kan niet bidden om hulp van God. Ze weet wat het antwoord zal zijn. Het kan niet... Waarom slaapt ze hier deze nacht? Is ze dan echt van plan de rest van haar leven bij Wibe te blijven? Is dit voorstel van hem wel eerlijk? Ze kan er de hele nacht over nadenken en als ze voor hem kiest, gaan ze morgen samen uit. Hij heeft geen verkeerde bedoelingen met haar. Wat had ze gedaan als hij gevraagd had met haar te mogen slapen? Nee, dan... maar wat maakt het uit? Ze heeft nu ook eigenlijk voor hem gekozen, anders was ze niet op dit voorstel in gegaan en was ze naar huis gegaan, naar Thomas. Is haar liefde voor Wibe dan zo sterk? Is het wel diezelfde liefde waar ze naar verlangde... haar jeugdliefde van dertig jaar terug... of is het een bevlieging? Houdt zij zichzelf voor de gek? Is Wibe nog dezelfde van vroeger waar ze van hield? Steeds gaan haar gedachten naar vroeger... dat heimwee naar vroeger, het was liefde die sterk was van haar kant... toch heeft ze het zelf verbroken door haar ouders te gehoorzamen. Ze is altijd een degelijke vrouw geweest. Houdt ze dan niet meer van Thomas? Kan ze hem dan zomaar vergeten en haar kinderen... wat zullen ze wel niet denken van hun moeder... een moeder die nu in een hotelkamer ligt en nadenkt of ze met haar jeugdliefde haar verdere leven zal gaan delen...

Fia gaat rechtop zitten op het bed en veegt haar ogen droog.

Ze houdt het niet meer uit... nee, ze kan het niet, ook al zou ze het willen. Haar verstand is sterker dan haar hart dat nog steeds brandt van verlangen naar zijn liefde. Dit mag niet... ze heeft dertig jaar geleden gekozen voor een andere man... ze heeft toen zelf die fout gemaakt... Het is allemaal haar eigen schuld. Zij heeft het uitgemaakt, al was het onder dwang. Wibe kon er niks aan doen. Ze koos toen voor Thomas terwijl ze wist dat ze nog van Wibe hield en dacht dat het wel zou slijten. Ze heeft een goed huwelijk gehad... haar huwelijksleven met Thomas gaat nu als een soort film aan haar voorbij. Thomas was een goede man voor haar. Ze kregen eerst een dochtertje... Wil. Ze waren beiden gelukkig en kregen een paar jaar later een zoon... Tom. Wat was Thomas trots op zijn zoon, de opvolger voor zijn zaak.

Ze denkt aan al die jaren samen met Thomas en de kinderen die opgroeiden. Ze hadden toen een hecht gezin. Ze gingen trouw naar de kerk. Thomas was een gelukkig man en werd ouderling... Ze zal Thomas pijn doen... ze weet dat Thomas oprecht van haar houdt. Was haar liefde dan al die jaren een soort bedrog tegenover Thomas? Ze was toch gelukkig met haar gezin en ze was toch net als andere vrouwen en moeders. Ze zorgde goed voor haar man en kinderen. Toch was er iets niet goed in haar huwelijk, dat ene vonkje bleef branden in haar. Ze kreeg vaak brieven vanuit Canada via haar vriendin. Ze nam ze aan. Ze heeft alleen die strijd moeten strijden... ze heeft hem nooit een brief teruggeschreven. Haar vriendin wist dat ook wel, maar Wibe bleef schrijven en haar vriendin was verplicht haar die brieven te geven.

Ze kon er ook niet met haar vriendin Janna over praten, toen ze een keer een brief niet in ontvangst wilde nemen en die zei: wat moet ík dan met die brief? Ze had geantwoord: 'Stuur hem maar terug en zet er maar op dat hij geen brieven meer moet sturen.' Ze had gezegd: 'Wat maak jij je druk over een brief van een vriend van vroeger, daar is toch niks mis mee. Jullie zijn toch gewoon vrienden gebleven en meer niet. Waarom schrijf je hem niet zelf terug hoe je erover denkt?'

Janna had gelijk. Ze had zelf wijzer moeten zijn, maar diep in haar hart genoot ze van zijn brieven. Vooral als hij schreef dat hij nog steeds naar haar verlangde en op de vlucht was voor haar liefde en smeekte hem terug te schrijven.

Nu is Wibe na al die jaren in levenden lijve naar haar toe gekomen... of was het een toevallige ontmoeting toen ze hem in het ziekenhuis ontmoette... ze was toen zwak en verlangde naar liefde... met Thomas ging het niet goed. De zaak ging achteruit. Het was de Thomas van vroeger niet meer en vooral toen Tom verkering met dat meisje kreeg... Thomas was ertegen. Ze was niet gelovig en ging niet naar de kerk en toen ging Tom ook niet meer. Toen kwam het verleden terug, ze zag zichzelf terug in haar zoon. Als Tom ook zijn vader zou gehoorzamen en zijn liefde net zo sterk zou zijn voor dat meisje, dan zou hem misschien hetzelfde overkomen.

Op dat moment gaat haar mobieltje in haar tas. Ze drukt de toets in en antwoordt wat angstig: 'Ja...?'

Fia... Fia, waar ben je...?'

'Thomas...'

'Waarom doe je mij en de kinderen dit aan... het is al bijna nacht...'

Fia geeft geen antwoord.

'Fia, zeg waar je bent... de kinderen zijn op zoek naar je geweest... ze hebben je auto gevonden dicht bij het landhuis... zeg waar je bent...' smeekt Thomas.

'Dat kan ik niet... je zult het niet begrijpen...' antwoordt Fia met tranen in haar stem.

'Jawel Fia... ik begrijp het goed... we moeten erover praten...'

'Waarover?'

'Over alles...'

'Het is nu te laat, Thomas...'

'Het kan niet, Fia... dit kun je mij en de kinderen niet aandoen, ook al houd je van die vent....'

Ze hoort Thomas snikken.

Dan is daar een andere stem: 'Ma... ma, waar bent u?'

'Nee... nee, ik kan er niet over praten...'

'Ma, dit kunt u niet maken...' zegt haar dochter.

'Ik... jullie horen nog wel van mij... nu kan ik er nog niet over praten.'

'U bent een getrouwde vrouw... wij zijn uw kinderen. U mag dit pa en ons niet aandoen. Het is niet normaal wat u doet... u heeft die man dertig jaar geleden voor het laatst ontmoet... hoe kunt u?' zegt Wil dan fel.

Fia drukt haar mobieltje uit en staat op van het bed. Ze loopt naar de deur van haar hotelkamer. Nee... ze houdt het hier niet langer uit. De schuld en de angst vliegen haar naar de keel.

Ze loopt de gang op en blijft stilstaan voor de kamer waar Wibe overnacht. Voorzichtig klopt ze op de deur. Ze hoort niets... zou hij dan al slapen?

Ze klopt wat harder op de deur. Dan hoort ze het geluid van een sleutel die omgedraaid wordt in het slot. De deur gaat open.

'Jij, lieverd... kom binnen... ik had het verwacht,' zegt Wibe, terwijl hij haar bij de arm pakt en de deur achter haar dichtdoet. Hij omhelst haar en zoent haar fel.

Fia rukt zich los uit zijn omhelzing, kijkt hem ernstig aan en zegt met een stem vol verdriet: 'Nee, Wibe... ik kan het niet... het is afgelopen tussen ons...'

'Wat is er gebeurd, lieverd...?'

'Laten wij het voorgoed uitmaken, Wibe...'

Wibe geeft geen antwoord en pakt haar stevig beet en trekt haar mee op zijn bed.

'Nee... nee, dat wil ik niet...'

Hij houdt haar stevig vast op het bed.

'Lieverd, ik wist dat je naar mij toe zou komen en ook naar mij verlangde... ik begrijp dat je het moeilijk vindt na al die jaren... wat heb ik al die jaren naar dit ogenblik ver- langd om jou helemaal voor mijzelf te bezitten... wij horen bij elkaar, lieverd!'

'Nee, Wibe...'

Wibe drukt haar stevig op zijn bed en laat zijn handen langs haar lichaam glijden.

'Lieverd, nu ben je helemaal van mij... al die jaren heeft een andere man van jou genoten... nu is het zover, lie- verd... geef je over aan mijn liefde.' Hij drukt haar onder zich en zoent haar fel, terwijl zijn handen haar lichaam betasten.

'Nee... nee, dit wil ik niet!' roept Fia.

Maar Wibe is sterker en ze moet vechten om niet te worden gebruikt. Dan slaat Fia hem met beide vuisten op zijn gezicht en weet, als Wibe haar even loslaat, onder hem vandaan te komen. Ze staat op en blijft voor het bed staan. Ze trekt haar rok recht, kijkt hem aan en vraagt: 'Waarom doe je dit?'

Wibe gaat op de rand van het bed zitten.

'Sorry... ik dacht dat je ook zo naar mij verlangde... je kwam uit eigen beweging naar mij toe...'

'Om met je te praten en niet om waar het jou om gaat, Wibe!'

'Verlang je dan niet naar mij, na al die jaren?'

'Ik verlangde naar de Wibe van vroeger en die is er niet meer... jouw liefde is niet meer de liefde van vroeger... die liefde van jou heeft mij nu de ogen geopend...'

'Je bent wat in de war... ik geef toe, dat ik wat te ver ben gegaan door het verlangen naar jou en mij niet meer kon beheersen... ik ben ook maar een man van vlees en bloed,' antwoordt Wibe verdrietig.

Hij pakt haar hand en trekt haar opnieuw naar zich toe.

'Nee Wibe...'

'Wat wil je dan?'

'Ik heb nagedacht... net wat ik tegen je zei... je bent de Wibe niet die ik vroeger gekend heb en ik ben het meisje van dertig jaar geleden niet meer. De jaren hebben ons uit elkaar doen groeien en ik hoor bij mijn man en kinderen... dit had ik nooit moeten doen.'

'Toch heb je het gedaan... je kon mij niet loslaten, ook al was je met een ander getrouwd. Je moet het gewoon eerlijk toegeven, evenals dat je bang bent voor die kerel van je.'

'Nee, dat is het niet... wij kunnen die dertig jaar zomaar niet wegdenken... ik heb een gezin.'

'Je piekert te veel. Als wij nou eens vannacht of morgenvroeg nog vertrekken naar Canada. We gaan nu naar mijn landhuis en ik haal daar mijn spullen,dan kunnen wij morgenvroeg nog vertrekken... Ik kan je gelukkig maken. Canada is een prachtig land. Ik bezit daar een prachtige grote ranch met veel personeel en ik heb daar een eigen vliegtuig en ik leer je paardrijden. Wij kunnen daar ons verdere leven genieten van elkaar. Je zult er geen spijt van krijgen... ik kan je heel goed begrijpen. Je kunt hier niet samen met mij in mijn landhuis blijven, als je man zo dicht bij je woont. Je komt in Canada in een heel andere wereld. Je kinderen kunnen ook overkomen, dan hoef je die niet te missen. Ze zullen daar nooit nee op zeggen, als ze eenmaal dat mooie land gezien hebben en genieten van mijn rijkdom, Fia... je zult er gelukkig zijn met mij en nooit meer terug willen naar hem, ook al heb je twee kinderen van hem. Je kinderen zullen voor ons kiezen, als ze eenmaal in Canada zijn en genieten van het goede leven. Het is daar een paradijs,' zegt Wibe, terwijl hij haar verliefd aankijkt.

'Rijkdom kan mij niet geven wat Thomas en mijn kinderen voor mij betekenen.'

'In het begin sprak je wel anders over je man en zei je dat je mij niet kon vergeten... waarom ben je dan naar mij toe gekomen?'

'Het was een jeugdliefde... het verleden deed mij verlangen naar jou, maar het verleden kun je niet terugdwingen naar het heden. Wij bedriegen onszelf. Wij waren toen jong en hielden van elkaar... ik heb nooit zoveel van iemand gehouden als van de Wibe van vroeger, maar die Wibe van vroeger is er niet meer. Het is verleden tijd.'

'Toch ben ik dezelfde gebleven... we zijn ouder geworden, maar je bent voor mij nog even knap en ook je stem is dezelfde gebleven en je ogen en dat haar... echt, Fia, je bent voor mij nog steeds de Fia van vroeger, die ik lief-heb... Geloof mij nou en ga met mij mee naar Canada... ik zal je daar gelukkig maken...'

Wibe trekt haar opnieuw naar zich toe, probeert haar door zijn liefde te dwingen en trekt haar opnieuw op zijn bed.

'Nee... nee... je wilt alleen mijn lichaam!'

Wibe probeert haar met alle kracht onder zich te drukken en grijpt haar met beide handen stevig vast, zodat ze niet weg kan komen. Hij probeert haar te dwingen tot voldoening van zijn begeerte. Als hij haar handen loslaat en haar lichaam betast, krijgt Fia de kans van hem weg te komen en van het bed af te komen.

'Daar zul je spijt van krijgen!' zegt Wibe hijgend. Hij staat op en pakt haar opnieuw beet, maar dan krijgt hij een trap op een gevoelige plaats.

Ze pakt snel haar tasje en rent naar de deur. Ze hoort hem nog roepen: 'Fia... Fia, kom terug!'

Fia smijt de deur achter zich dicht en rent de gang door en de trap af. Als ze beneden in het restaurant is, loopt ze snel naar de uitgang van het hotel. Een bediende vraagt of hij een taxi moet bellen. Ze geeft geen antwoord, maar rent het hotel-restaurant uit.

De nacht is wat koeler dan de dag. Toch is het een mooie zomernacht.

Ze rent de weg over en ziet een bushokje, waar ze in gaat zitten. Ze heeft een dun zomerjack aan.

Kan ze nu nog terug naar Thomas? Hoe zal hij reageren? Hij was zo overstuur. Ze rilt van de kou en emoties die ze heeft doorgemaakt. Ze weet nu zeker dat Wibe niet meer de Wibe van vroeger is. Ook al zou hij het wel geweest zijn, dan had ze nog niet bij haar man weg mogen gaan. Ze zal nu geen strijd meer hoeven te leveren... of zou het verlangen naar haar jeugdliefde toch sterker zijn dan zijzelf? Ze heeft een grote fout in haar leven gemaakt. Een fout in haar jeugd waar ze nu de prijs voor moet betalen. Ze kan haar ouders daar niet meer de schuld van geven, ook al hebben die veel verdriet gehad om het verlies van hun kind. Ze had het toen nooit uit mogen maken... Of was het toch de goede keuze? Ze weet het niet meer, nu ze Wibe zo heeft leren kennen. Hij kon zijn vleselijke begeerten niet bedwingen, terwijl zij daar geen behoefte aan heeft. Het was van haar kant die jeugdliefde, die ze maar niet kwijt kon raken. Nu was daar bij Wibe niet veel meer van over. Wel zijn uiterlijk en zijn ogen en stem, die deden haar nog aan vroeger denken. Alleen, hij was een heel andere man geworden dan zij zich in haar gedachten had voorgesteld.

Hoe kan een vrouw na dertig jaar... ze zou een ander veroordelen als hij of zij zoiets zou doen. Stel je voor dat Thomas een jeugdliefde zou hebben en ook zou doen zoals zij gedaan heeft... Ze heeft Thomas veel pijn gedaan en alleen aan zichzelf gedacht... gelukkig dat er verder niets is gebeurd. Maar zal Thomas haar wel geloven...?

Ze pakt haar mobieltje uit haar tas en toetst het nummer in.

'Ja... ja, ben jij het, Fia...?'

'Ja...' snikt Fia als ze de stem van Thomas hoort.

'Waar ben je... is hij bij je...?'

'Nee...'

'Waar ben je dan... kom je terug...?'

'Ja, Thomas... mag ik terugkomen...?'

'Natuurlijk... ik kan jou niet missen... waar ben je?'

'Op het Zuiderplein… in een bushokje…'

'Zal ik je komen halen?'

'Ja… als je mij nog terug wilt hebben…' snikt Fia.

'Ik kom eraan!' antwoordt Thomas terwijl hij de hoorn op het toestel legt.

Als Thomas het Zuiderplein oprijdt en haar in het bushokje ziet zitten, schrikt hij wel. Ze zal toch wel in orde zijn?

Hij stopt voor het bushokje, stapt snel uit de auto en rent naar haar toe.

'Fia… Fia… mijn Fia…' Hij gaat op zijn hurken voor haar zitten.

'Gaat het wel? Voel je je wel goed…?'

Fia kijkt hem aan, vliegt hem om de hals en snikt: 'Thomas… Thomas, het spijt mij zo verschrikkelijk…'

'Stil nou maar… we gaan snel naar huis… je bent helemaal koud geworden…'

Als ze thuis zijn, zet Thomas de verwarming wat hoger hoewel het niet koud is in huis. Hij gaat naast haar op de bank zitten en omhelst haar terwijl er tranen over zijn gezicht lopen.

'Ben je niet kwaad op mij, Thomas…?'

'Nee… nee, ik dacht dat je ervandoor was met hem… vooral toen ik die brieven had gelezen… Hij was erg gek op je.'

'Ik heb hem nooit teruggeschreven… echt niet, Thomas…'

'Maar waarom ging je dan naar hem toe, Fia…?'

'Het was het verlangen naar het verleden, naar mijn jeugdliefde… maar die was er niet meer. Hij was niet meer de Wibe van vroeger. Jij bent mijn man… ik ben niet waardig nog je vrouw te zijn, Thomas...'

'Toch wel, lieverd... je hebt toch voor mij gekozen...?'

'Ja Thomas... er is echt niets gebeurd, als je dat soms denkt... toen hij dat wilde ben ik weggevlucht...' bekent Fia.

'Ik zal goed voor je zijn... jij bent míjn jeugdliefde en dat zul je blijven door alles heen,' zegt Thomas terwijl hij haar de trap op draagt in zijn armen en haar naar bed brengt alsof het hun eerste huwelijksnacht zal worden.

Ze vallen in elkaars armen en beleven hun liefde als man en vrouw.

Wibe bestaat niet meer voor haar. Het verleden heeft afgedaan. Fia leeft haar leven in het heden met haar man en kinderen. Als ze die nacht gaan slapen, buigen ze samen hun knieën en danken de Heere God dat Hij hen weer samenbracht als man en vrouw.